直知の真理

桶本欣吾
Okemoto Kingo

深夜叢書社

直知の真理　目次

カバー装画——平家納経　分別功徳品本紙裏
（厳島神社蔵）
装丁——髙林昭太

直知の真理

桶本欣吾

第一章　真理認識の驚嘆

直知の真理論においては、真理を見るという驚嘆すべき認識経験が何より先にある。直知の哲学とはその驚嘆すべき認識内容の言語化に努めるもの以上のものではない。その点では直知は思弁、思考によって形成される他の哲学とは出発においても異なる。ただ、思弁、思考に基づく他の哲学群の中にも、その核あるいは源泉となっているのが本質直知の哲学である場合があることは同学者ならよく知っているところである。

直知の真理論は、哲学の動機としてプラトンもあげている驚異《タウマゼイン》から出発する。

「なぜなら、実にその驚異《タウマゼイン》の情《こころ》こそ知恵を愛し求める者の情なのだからね。つまり、求知（哲学）の始まりはこれよりほかにはないのだ」

（プラトン『テアイテトス』155d　田中美知太郎訳）

真理を求めて考える、思弁するということもまたひとの常であることは言うまでもなく、ひとは誰しもそのような経験を持っていよう。まして哲学を志向する者なら、真理とは何かと思考し考えないわけがない。しかしプラトンがここに語る哲学の動機である驚異《タウマゼイン》は、そのような思考があるのは当たり前のことでありながらそれが自分の哲学の動機なのではなく、驚くべき出来事に見舞われ、その驚くべき出来事に出合ったことこそが、決定的に哲学を行う動機となったのであり、「哲学の始まりはこれよりほかにはないのだ」と断言しているのである。

わたしたちがここに紹介する直知の哲学の系譜もまた驚嘆すべき認識経験が何より先にある。もしその激しい驚異がないのであれば、なにゆえに現行の科学に、また学問に、数多の点で相違するところを持ちそれゆえにあえてそれらに異を唱えなければならないこととなる論述をどうしてことさらする必要があるであろうか。驚異がそうさせてやまない。

直知の哲学は、真理を見るという驚嘆すべき認識経験が何より先にあり、それは思考や思弁に依らず、示される、という形で神秘が顕現することである。思考し思弁することとは超絶したそれを示され、その語り難きところを語るべく努めなければその神秘は何故に本質直知として示されたといえようか。哲学の動機である驚異の哲学を、科学や学問に異を唱えてまで記述しないではおけない動機でもある。

真理は思考するものではない。それは示される。そしてその示されたものは通常見るもの、通常知っているもの、あるいは思考することからかけ離れている。だからその点もあってわたしたちはそれを表そうとする。

直知とは示されるものを驚嘆しつつただ見る。この直知には見る者と見られるものとの差異がなく、認識者と認識されるものとの分裂がない。示される真理は見る者に直接入ってくるのである。思考の差し挟まれる瞬時の時間もなく、それを対象的に捉える余地はない。

直知するもの——示されるもの——が通常の認識とはかけ離れているため、それは科学とは直ちには繋がらず、学問とも離れて見える。

しかしそれではその示されたものを表すのを止めるべきであろうか。そんなことはできない。科学や学問と顕著に異なるものはではどのような点にあるであろうか。生命や魂といったものなどもその一つである。

普遍的な前提から個別的、特殊的な結論を導き出す方法は演繹といわれる。本質直知の哲学は究極の演繹であり、絶対、普遍、永遠から有限、個物、時間を引き出すのである。——これは世界が時空世界へと展開する方法でもある。

何が直知されるのか

それではそこまで言う驚異とは何か。かつて見たことのない神秘の光が顕現し大空を覆い降り注いで来るという光景を目の当たりすることである。驚異とはまさにその神秘の光景であり、光が降り注ぎ、その光を浴びることである。直知者は驚嘆し、ほとんど自失状態となる。光が神秘なのは、光が神聖さに満ち満ち、永遠を湛え、また、絶対性をおのずから発露しているからである。さらに神秘の光が相伴って表し降り注いでいるものがある。それらは真理として明示され、直知者は悟り、了知する。

それはおおいなる愛であり、おおいなる慈悲であり、おおいなる歓喜であり、おおいなる至福である。それらはひとの知る愛、慈悲、歓喜、至福とは較べえない純粋さ、おおいさ、神聖さ、永遠性、そして言いえない細やかな親密さをもつ。さらにまた降り下り、示されるものがある。おおいなる調和、おおいなる秩序、おおいなる平安。さらにまた降り下るものがある。おおいなる善、おおいなる美、おおいなる叡智と創造。これらのものはそれぞれに最高至純のものでありそれでいて一つのものである。これらに付帯して多くのことが照示されるが、それらのことごとは順次後述詳論されていくこととなる。

本質価値の降り注ぎ

天体に住まうもの、地球の動植物、ひともまたそうであるが、光とそれに付帯する本質価値が天に輝き、また天より降り下ってくる。通常では決して見えないのであるが、光と本質価値が降り来って天体に住まうもの、地球の動植物やひとに注がれ、存在の土台を形成している。ヘーゲルの論理学は理念において（残念ながら理念として）そのことを記述しようとする。本質直知の哲学は自らの認識経験において、本質価値が現に降り注いでいるのを体験し、観、浴び、それを記述する。

その驚異を浴びたプラトンは『パイドロス』においていう。

「その天よりもさらに上にあるこの領域について、地上の詩人がそれにふさわしく歌ったことはかつてなかったし、これから先もないであろう。だが、私はそれについて話してみよう。私が真理について話そうとするとき、真実ありのままを語る勇気をもたなければならないのだから。

この領域に位置を占めているもの、それは、真の知識が与っているところの存在そのもの――色なく、形なく、触れることもできず、ただ、魂の導き手である知性のみが観ることができる、かの本質である。理性と純粋な知識とによって育まれる神の知性は、また、自らに適した食物を摂取できるすべての魂の知性は、実体を目にして喜びに満たされ、そして天球の運動が一回りしてまた同じ場所に運ばれるまで、真なるものをさらに眺めながら、それによって奮い立ち、喜びを感じる。その一回りするあいだに、魂が観ることができるのは、正義と、節制と、絶対の知識とは、人間が存在物と呼んでいる、生成流転したり、相対的な関係におかれたりする性格のものではなく、絶対の存在の中にある絶対な知識なのである。魂はそのほかの真なるものも同じようにして眺め、それらを大いに楽しんでしまうと、再び天界の内側に入っていき、すみかへと還るのである。……」
(247C～D)

プラトンが得た「真の知識」は理性や思考という頭脳を介在させず、無媒介に、直接的に訪れる。だから彼は真の知識を驚異と呼び、驚嘆するのである。そこでわたしたちはそれを、理性や思考を媒介にしない「真の知識」の訪れとして、直接知、または直知と呼ぼう、プラトンの言う驚異はまさしく直知の驚異だからである。

なぜ直知は宇宙論を語ろうとするのか

直知が起こるのは自己を否定しきった暁の自己改変であったが、それによって根源なる自己へと達しきることができた。彼はその新たな次元で新たな自己、新たないのち、新たな世界を見る。

宇宙感受

見るものは宇宙の大いなる生命に抱かれその抱くものの内へと解《ほぐ》れていく。最高の安息と平安。宇宙をつくり上げている大いなる生命は宇宙に光を送りつつ見るものに至福と歓喜を与え、一瞬のうちに真理を了知させるのである。

直知するものは「これが真理だ！」という真理の提示を受ける。それは真の世界、世界の成り立ち、世界の根源を知ることであるが、それを、本質直知するものは宇宙感受として受け得心する。

自己の真理と世界の真理。自己の根源と世界の根源。それは宇宙なる中にある自己であり宇宙のある姿の感受であり、その中にある自己でもある。――このことが感受としての宇宙論を可能にする。

そこから自己、宇宙、価値、神……それらが彼の主題となる。

直知の真理論の始まり

直知の哲学は思考によってはじめられるのではなく、驚異をもって始まり、照示されるところから始まる。最初にある、示される神秘から始まるのである。ヘーゲルの論理学は最初に知覚と思考によって摑めるものを置き、弁証法の結果として絶対知なるものへの到達点をもって終わる。本質直知の哲学はこのヘーゲルの方式を借りて言うなら、その到達した絶対知は始まりである。絶対知から記述していくのでなければ、通常の理性や思考から始まるのではないもの、すなわち提示された神秘を、すなわち示された真理を正しく記述することができなくなるであろう。

第二章　直知の真理論

直知の真理が予見させるもの

直知の真理は、現行の科学や哲学がそれぞれ形成している思惟による科学知識や思惟による哲学知識に拠ったものではないため、それらからかけ離れた知を提示するけれど、このことをもって、現代という時点の知識にそぐわないからとして直知の真理を否定するのは妥当ではない。科学も哲学も常に時代とともにその知識は修正されてきていることを考えれば、思惟による知識にはあまりにも未知な事柄が多く、それはいつでも改善されなければならないからなのである。

これに対し直知の真理というのは、その思惟に拠らない部分（直知として提示される部分）と思惟による部分とによって形成されている。つまり直知として提示される非－人間的な部分、非－歴史的な部分があって、その提示されたものを受容し受け止める人間の思惟の部分と思惟が解釈する文化的、歴史的な部分との合成になるものである。

直知は対蹠する知を跨ぐ

それは見えるものと見えないものを跨ぐ知である。それは時間的なものと永遠的なものとを跨ぐ知である。それは自己と宇宙とを跨ぐ知である。それは科学と宗教を跨ぐ知である。それは唯物論と唯心論とを跨ぐ知である。

なぜ対蹠的な知を跨ぐか

対蹠的な知は思考による知であり、常に有限な一面性しか視界に入らない知である。直知は思考を超越した知である。対蹠的な知は時空内の知であり一定の限定をもった知であり本質直知は時空を超越した知であるためである。

人間の思考力に拠らない視界とはどのような視界なのであろう。それは有限な時間空間を超えた所、対象化された視界とは異なる超−対象的な次元を見せつつ、有限な時空もまた賦活され、対象像もまた賦活され、新たな光の次元に照らしだすのである。

この視界が高い普遍性をもっている視界であることばかりは得心できるけれど、この視界をひとびとに理解してもらうのは難しい。

直知が見ること、見るもの

無

・それまでいた時空の膜を突破し、時空でない場所にいく――そこは無底である。
・無底においては物質がない。
・その無底では今まであった自己さえもない。
・無底は暗い、闇である。ただ無底を知る意識だけがある。
・無底は、時空がなく物質がなく自己もなく、何一つない完全な無であり、完全な闇である。

光

・その闇、その無が反転するかのように光を帯びる。光が射し染め始める。
・やがて光が満ち、その光が清浄無垢にして聖なる光であることがわかる。
・光は神聖、永遠、絶対性が溢れ、その光が降っている。

直知は、科学が言うところの天文学や宇宙論のようなものを直知によって知るわけではない。例えば直知によって地動説が正しく天動説が過っている等々が知られるわけではない。直知は神聖の光が空を満たしそれが降り注ぐのを見るのである。

直知の真理

直知の哲学において、真理とは、普遍の知であり世界にある存在者を存在させる原理である。

直知の真理とは全体の知

直知の哲学において真理とは全体の知である。現代の知が時間・空間内に限られた知であるのにたいして、直知における真理は時間・空間と時間・空間外との全体を包含した知である。時空と時空外との全体を包含した知である真理においては時空ならびに時空内もまた別の相を顕現させる。

真理は宇宙にある存在者という意味において全存在者のものであり、全存在者に遍く及び、遍く関わる。また存在者の存在の原理であるという意味においては存在者の存在の根拠であり根拠づける仕組みと働きである。

特定の存在者である人間だけに通用し、人間だけに活用されるというのは真理とはいわない。真理は宇宙の存在者に通じあらゆる存在者を活かし、働く。仮に地球の人間が自分たちに好都合な思想をもって真理を僭称したとしても、他の存在者を活かし働くという叡智にもなれないなら、そのような理論は遅かれ早かれ霧散するか粉砕されてしまうであろう。

そもそも真理とは何か

「知ることと在ることとは同じことである」(パルメニデス)

真理は生きられるべきであり、真理は経験されるべきであって、観念としてあるのではない。

真理は主観と客観の統一として在る。ただ主観としてあるわけではなくただ客観としてあるわけではない、なぜならただ主観の裡にあるならそれはこころのことでありただ客観としてあるならそれはただ対象としてあるだけであろうが、それはこころも対象も超えて在るからである。わたしたちから真理が切り離されてわたしたちの向こうに真理がある、というそういうものでは真理はないからである。そのときひとは真理に貫かれ真理に包まれて在る。

わたしたち人間は今日、とりあえず時空内の生存に有益な知だけをつまみ食いして現代という時代を生きており現代の文明文化を築いているが、そこでは時空内の一面しか知が拾い集められない。知の広大な全体を知ることを放棄し、当面は自分たちに都合のいい文明文化を築いたが、人間に好都合な自分流だけの知がそんなに長持ちすることはない。なぜなら人間も他の存在者も共にあることに基づいた知からわたしたちは自分流へと知を改変しており、それは全体性、他の存在者と共にある本来の普遍な知からかけ離れてきたからである。いまや文明文化にほころびが出始めている。

真理は万物のためのものである。人間が人類固有の対象化認識、その主観－客観構造に縛られているうちはそれが訪れないように、それぞれの類が類固有の認識方法に縛られているうちはその普遍の認識は訪れない。

これから語ろうとするわたしたちの哲学においては、ひとは真理を求め生成場に赴く。生成場に赴き、ひとはそこで真理を目の当たりにする。

これまで、時間－空間、物質、エネルギーの起源について幾たびかふれ、わたしたちはその起源をもたらす場所を生成場として提示するのであるが、生成場についてはまだあまり詳らかにしていない。生成場に降る本質世界の光、生成場に展開する本質価値、この生成場と深く関わる本質世界や本質価値についてもいまだこれから語られる。時間、空間が超えられ、無が耐え抜かれ、生成場次元が現れるとともに光の光景が発現し、その驚嘆する光景こそはいままで隠れて見えなかった真理の開顕に他ならない。それらがこれから語られる主題の一つともなるであろう。しかしまずもって本書のテーマの一つでもある真理についてここで少しく、展望しておくことも必要であるだろう。ここではさしあたってまず真理についての見通しを行うのであって、それは真理の内容を見るその始めの作業となる。

真理とはそれは古来より普遍なもの、いつでもどこでも変わらないものの理の謂いであるともっぱら言われ、形而上学が疑念を持って批判されたことはあっても形而上学が課題としたその課題の定義自体が間違いであったわけではない。しかしまた一方で形而上学はその課題を概念以上には示すことができないとしたカントの形而上学批判も、真理が概念において得られると誤って理解されるとしたなら、その点に関する限りカントの論も正当である。なぜなら真理はその本質において概念にはなりにくく、概念化に相応しくないからである。

カントが形而上学を批判した真意は、カントが問題にした形而上学において真理が概念に留まっており、人間の認識において真理は経験されることがないと見立てたからであり、もし真理がただ概念であって人間に経験できるものでないのであったならカントの批判はそのとおりであると言えたであろうが、しかし、真理が概念に留まってはならないというのは正当であったとしても、真理はカントの看做すごとく経験できないものではなく、経験できるものであるという点、真理こそは人間が経験できるもののもっとも善き経験であり、まさに経験によってこそ真理は知られるものであるというのが、真理の本質なのである。したがってカントにおいて言われる意味からではなく、真理は人間が経験するものであり、真理は経験それ自体にその顕れがあり、その意味において概念に収まりがたく、概念化に相応しくないのであり、まさに経験をもって知るべきものである。

またこうも言える。真理は生きられるべきもの、というのが真理について知ることができる本来の姿であろう。真理を本当に知るということはそのことなしにはなく、真理を自ら経験するということなしにはない、それが証拠に真理は人間においては人生を生きるということのなかで開顕し現に経験されることによって知られるものとなるからである。そして、真理が生きて働く全体を開示するのは、あくまで真理を求めるそのひとひとりに向けられて披《ひら》かれ、光によってそのひとが射照され、それゆえに世界もまた光の中にあることを知るその出来事そのものが真理だからである。

真理は概念に収まりがたく概念化に相応しくない。だから概念化しにくい真理を云々することは一種無謀な側面をもつといえなくもない。しかし多くのひとびとが真理を自ら獲得しひとびとが真理を共有するときが訪れるまで、真理については口を噤《つぐ》むしかないというのはそれも間違いであろう。多くのひとが真理を共有するならばもはや語られる必要はなく、そうではないから、今日そうではないからこそ語られなければならない、それが真理なのである。真理を口にする無謀を幾分なりとも鎮めることができるとしたら語り手は語り部としての分を守り彼が知ることとなった出来事についてただそれをそのまま一報告者として報告しようと努めることに身を持すこと、それが真理を口にするに相応しい仕方とところすべきであるだろう。

真理は厳然としてある。真理は主観と客観を超えてある。ひとが使う客観という言葉をとうに超え、主観－客観の構造をとうに超えて、真理が実在する。真理にたいしてはおよそ客観的にあるという言い方はできない。真理は対象的に見られることがないからであり、わたしたちが真理から切り離されてわたしたちの他方に真理というものがあるからではないからであり、わたしたちは真理に包まれ真理に包摂されてあるからである。真理に包まれ真理に包摂されてあるのはむろん人間だけではない、他の生きもの、他の存在、すべての存在者、そして宇宙、世界、これらは皆真理に包摂されてある。

真理が厳然としてあるという意味はまた、揺るぎなく侵しがたく不動のものとして、という意味である。いつでもどこでも変わらないものとして真理はあり、それは時間・空間の有限性を超えてあり、普遍であって、かつ明証的であるという意味である。この意味から明らかであるように、わたしたち人間の知る四次元時空を超えて、時間と空間を超えて、真理は超越的にあるというべき在り方においてである。

それはまた、四次元時空においては真理は見ることができないということである。しかしでは人間は真理を見ることができないかといえば、そうではなく、真理は人間に本質的であり、その本質的であるということから、人間は真理を見ることができる可能態であるといえる。人間が四次元時空を超える存在者としてのあり方をとることができれば真理は開示する。真理は日常容易く見ることができるものではないけれど、真理は人間に本質的であって本来見ることができるものである。

真理は人間には見ることができるが、他の存在者がそれを見ることができないとしてもその他の存在者もまた真理の中にあるということは変わらず、他の生命、物質や未知の存在者も真理の中に存在する存在者であることは変わらない。真理がわたしたちの言う生成場なる場において開顕し普遍の光のうちにあまねく照らし示すのをまのあたりするならば、誰しも何ら疑念なく次のように言うであろう、真理は宇宙に存在する万物のためのものである、と。

人間が用いる主観−客観、対象化認識だけの認識、人間という類に固有な認識、人間特有の特殊な認識では、それゆえ真理が見えるものとはならない。真理は人類だけに通じれば済むものではなく他の類にもあまねく及ぶ普遍な知でなければならない。それぞれの類や種のその特殊認識では真理は見えない。それぞれの類や種に相応な客観性がそれぞれ相応に有益な認識能力であるとしてもそれはその個別の類や種なりに有益な認識能力であり客観性であって、普遍性ではない。類や種の個別の認識能力は類や種の生存のための認識能力ではあっても真理に対応できる能力ではない。類や種の特殊な客観性は、何ら普遍性ではなく、真理に達しない。だがその人類特有の個別の認識能力を手放すならどうか。人間がその自己性を手放すならどうか。人間が、すべての自我、すべての個我、すなわち自己を捨て切ったとき、そのときはまた、人間が人類の特有の認識を捨て切るときでもあり、そのときはじめて、認識の普遍が開ける。

宇宙に存在するどれほどの存在者が真理を認識する能力を持つかは知らない。しかし、宇宙のどの存在者であっても個別の存在者性を手放すとき、すなわち自己性を棄て切るなら真理は見えるものとなるということは共通すると言ってよいであろう。なぜなら真理とは個別の種や類や自己のものではなく、万物のものとして、万物の全てに善きものとしてあるものだからである。その知的能力によって類という類、その自己にだけ良いものを追求してやまない限り、真理は、認識できるものとはならないであろう。だが類の個別性を捨てるなら万物にも善いものとしてある真理はかれのものとなるはずである。

真理とは次の三つのことが示されることである。

第一には、普遍、永遠、無限とは何かということが示される。わたしたちは四次元時空において、普遍や普遍性をそれなりに定義し学問においてもその時空内の普遍性を用い学の基礎や根拠として使用する。しかしそれが正当な普遍性とはいえないのは、いずれも有限である以上、普遍とは言えないことは明らかであろう。永遠、無限は概念として知ることができるが経験となることは人間が四次元時空の存在者である以上は困難であって、通常は使用できない。しかし本来の普遍性なら、永遠、無限という有限ではないところへと繋がるものでない限り本来普遍ということはできない。ひとはわたしたちの言う生成場に赴くことによって、光の裡に照示される永遠並びに無限を見ることを経験する。そしてそれが真理であると得心するのである。

人間が通常あるありかたにおいては永遠と無限はカントの言うごとくまさしく理性において知る以上のものではない概念であって決して概念を超えて知ることができるものではない。ヘーゲルにおいても、ライプニッツにおいても理性の考えた概念以上ではない点では同様である。わたしたちが四次元時空にある以上、また思考によって考えるばかりである以上、永遠も無限も決して顕現することはない。しかしひとがひとたび生成場に赴くなら、そこは時空ではなく非時空と呼ぶべきところであって、かつしかもそこには永遠が流れ込み無限が距離も時間もなく広がる。わたしたち人間はそこ生成場において四次元時空において知ることが決してかなわなかった永遠と無限とを経験する。

第二には、我（自己）とは何か、ということが示される。

ひとは我（自己）についてよく知らない。学問においても我（自己）について多くの学説や見解がある。個人も学問も一種の割り切りと単純化をしている。「わたしとは自我である」「わたしとは意識する我である」「わたしとは脳である」「わたしとはこころである」「わたしとは身体である」等々。そして、我（自己）とはそのようなものか、は問わない。それらが学説として成立し、さらに枝分かれした学派を作っている。それだけ数多い見解があること自体が我（自己）の不可解さを示す証拠であるが、それぞれの学説や見解がいずれも最終の解を示すことができずにいるということが我（自己）の不可解さを示す。しかもそれらの学説が十分な説得力を持っているかといえばそれらはみな哲学者や思想家や科学者の見解である。それらの学説や見解が科学を含めて常に途上の見解や思想であり将来解決できることを匂わせて憚らない。

我（自己）の全容は四次元時空の中を探し回っても決して見つけることはできない。そこでは我（自己）は隠れ、我（自己）は対象として掻き消えてしまう事象を繰り返すばかりである。

もしひとが生成場に赴くなら、はじめてようやくにしてひとは我（自己）の何たるかを知り、我（自己）を全面的に知ることができる。生成場において真理が開かれるとき、わたしたちははじめて我（自己）の何たるかを光に照明され示されるのである。

第三には、世界とは何であるかということが示される。

わたしたちは世界について、現にある自明なものとして捉えそこで生き暮らしているけれど、一方で世界とは何であろうと問い、探求する。世界とはまずはわたしたちが日々暮らす生活世界であり、わたしたちを取り巻く比較的狭い領域を指すところからはじまって、地球全域、さらには宇宙や天文の何億、何十億光年という広大な領域まで拡げ宇宙の果てまでも探られる。世界を探求する学問は世界を領域ごとに分けさまざまな学問分野を成立させており、自然科学から捉えようとする分野、あるいは人文社会科学から捉えようとする分野をさらにまたそれぞれ専門分化させてもっている。しかし世界を問い、探求するのは何も学問ばかりではない。芸術も世界を探求する方法であり、宗教も世界を探求する方法であることではそれらも同じである。芸術も世界を探求し表明し、宗教も世界を探求し表明する。さて、世界を探求するとは世界の現象を広く知ることで済むわけではない。世界の現象を起こしているのは何であるか、世界を現象させているその実体は何であるか、と探求は進む。

わたしたちの述べようとする生成場において明かされる真理はわたしたちの個々人の生活世界や学問や芸術や宗教が表明する世界ともちろんかかわりそれらを根源から捉え返させるものである。それはまた原理的に捉え返させるものであり、そして人間の視点によらない万物の視点から捉え返させるものである。真理における世界とは、世界は現象であるが現象に終わるものではなく世界は現象において表現された本質であるということが示される。真理において世界が明かされるということは世界の本質が明かされることである。世界の本質は通常隠れて見えないけれど、その隠れて見えないところが拓かれ、照明され、それによってわたしたちが生きてあるところの全容があらためて照らし出されるのである。

真理とは人間から見るなら人間が知るべきものであるが、真理は人間のためだけにあるものではなく、それは万物のためにあり、また真理とは認識における知というものでは終わらず、真理とはまさにそれが活きて働いているその活動であり、その活動への参画を呼びかけるところのものであり、人間もまた他の存在者も現にその活動の一端を負いつつ担いつつ在るよう求められているものである。

世界と自己

自己（我）とは何かということと、真理とは何かということとは、わたしたちの真理論においては同時に一挙に開顕する。それを一言で言うなら真我なくして真理なし、である。

我の真性なしに認識の真性なく、認識の真性なしに真理の認識なしと言わねばならない。認識する自己が真でないなら、どうして真であるものを観ることができるであろうか。我の真性なしに認識の真性はない。もし認識する自己が誤っていたならその誤った自己が観る認識世界も誤ったものとなるのは理の当然で、自己が真なる我となることこそが真理認識の不可欠条件であり、まず自己が真なる自己となることが真理認識に必要かつ不可欠である。真我の開示が真理の開示に先だってあった上で、即、連続して真我が観る真なる認識として真理の開示がある。

まず、無が展開して現れるのに対応して、何もない全面的な無、それはまた自己さえもない無であるところ、今まで自己としてあったものが完全に失われたところから——その意味では無底の、底なしの無、かろうじて依拠できるような自己さえも完全に失った無、墜落し歯止めなく堕ちていく無底の無——

そのようにしてまずは無底がある。

その無底の先に、真我によって真理の次元が開顕されるならそこにはあるべくして真なるわたしが披かれてありあわせてあるべくして真なる世界が披かれてくる。

真理は自己によって開かれ、自己の披かれない真理は真理ではない。自己と結び付いてない真理は生きた真理ではない。真理が開顕するのは自己によってであり真理は自己を入り口としてあり、真理が開顕するには自己がまず真なる自己へと成ることによってであり、通常に自己と看做されているものではない、真なる自己へと境位を上げることによってであって、そのとき自己は通常の自己ならぬ真我よりほかのなにものでもなくなった暁に、真理が見えるものとなる。

ひとが真我となることによって何が起こったのかと言えば、真理自体は永遠不変のものとして常に在り、真我になることによってはじめてその常住に在る真理が見えるものとなるということである。

真理は自己開顕とともに訪れることにおいてはじめて真理の生きた姿を、開顕した自己に見せる。真理が自己の開顕なくただ真理の本姿を見せることはなく、仮に自己の開顕のない真理を知るということがあったとしたならそれは真理の外形を知識として知るばかりであって生動する真理を直截に知ることとは異なる。開顕した真我がまのあたりするのが生動し活動する真理である。そこに見えるのがわたしたちが語ろうとする光射す生成場であり、やがて見晴るかす光の本質世界であり、やがて見通す生成場に包まれた新たな四次元時空である。

真理は人間の誕生や地球の誕生や銀河の誕生を包摂して永遠不変の常住なる在り方において現にあり続けてあり、目あるものの開眼を待っていたに過ぎない。真理が我《われ》とともに開示したと見えるのは我が開示することによってそのように見えただけであり、開示したのは人間である我である。我が開示することではじめて永遠不変、常住の生ける真理がひとにも見えるものとなるということが起こるのである。

真理を目の当たりする意識はこのとき神聖の光に自足しつつ自らが霊体我《れいたいが》であることを初めて覚知する。霊体我こそが真の我であるということ、霊体我こそが真我であるということを神聖の光に照らされながら悟り、得心するということが起こる。真我とは四次元時空を超える際に脱してきた身体のなかなる自己でなく、また同様に棄ててきた自我でもなく、これまで知ることのなかった初めて知る霊体としてある我であることを、ここにおいて現実に明瞭に得心することができたのである。

霊体我こそ真なる我であるという光の照射のもとにおける確然たる自得と較べるなら、自我を我と考えたり身体のうちなる我を我と考えたりすることは霧の中を模索し判然としない影を我と認めようとするほどのことでしかなく、それらがなんと曖昧不確かな幻像でしかないことが歴然とする。霊体我が真我として顕れるとき、霧が晴れ渡り、幻像があらためて幻像でしかなかったことが如実に判明する。

そもそも自我は、四次元時空の境界で主観－客観が消える際に、客観としてあった物質とともに主観が消えると同時に既に消えるのである。身体のうちなる自己も物質とともにすでに消えている。自我も身体の内なる自己も四次元時空を超え来った先にはない。

その後はただ受動的な意識ばかりが無の中に放擲されてあったのであり、無であるという意識は失われることなく継続してあったのであるが、いま、四次元時空を超えて来て生成場の新たな次元が顕れ、光が顕れ、光のうちに自足するものこそ自らであることを覚知したのである。意識は始めて原郷にたどりついたことを自得する。それが、霊体としての我である霊体我なのである。

その霊体としてある我こそがはじめて知る真の自己であると、ひとは神聖の光の照明に射照されて歓喜のうちに得心するのである。

これまで自己であるかに装われてきた自我、あるいは何らかの自己、そのような自己がいかに自己自体ではなかったか、いかに釈然としないままそれらの自己を自己であると思い込んできたかが、ここ光のうちに真我である霊体我と出会って初めて歴然と確固たるものとなったのであり、ここに到ってはじめて、ひとは感嘆し得心し、歓喜する。


至福の光がある。光は平安である。光は絶対の愛であり、無限の慈愛である。その光が降り注がれる。光に向かってただ在る意識である。意識だけがあり、至福を受け、平安を受け、絶対の愛を受け、無限の慈愛を受ける意識だけがある。喜悦する意識がある。それが真我であり、それが霊体我、光を受ける真我としての霊体我だ。

そのような無から、次の段階として光が涌くがごとくに顕れる生成場が出現したのであり、その生成場出現をまって、上方に霊体我が火が灯るように灯り顕れたのである。それまで秘められてどこかに（おそらくは自分のこころの内の奥の奥に、わたしたちはそれを後に境界領域として示すのであるが）隠され続けてきた存在としての初めて知る霊体我の、その出現である。

ひとはそのときまさにこれこそがわたしであると驚嘆のうちに画然と目覚める。その目覚めこそどれほどの歓喜であろう。光さす生成場の光を浴びつつ、ひとは真の自分をはじめて覚知して無上の歓喜と、そして安らぎに到達する。

そして、真我である霊体我がまず最初に顕現するとしても、世界もまた同時に顕現しないではおかない。真理が真我によって開顕可能となるとき、我なる霊体我も世界も、生成場にあって遥かな常住の光を受け、そのあるべきあり方においてあるということを、ひとは真我の経験に間髪入れず経験する。真我である霊体我となったとき、霊体我もまた遥かな真なる世界のうちに結ばれ、その遥かな真なる世界のうちに繋がって在る存在であると知るのである。

霊体我こそが我である。自我や脳やさまざまに語られてきた我と較べるなら、自我や脳やさまざまなものがどれほど誤解に満ちたものであるかがよくわかる。なぜならそれらを追求していくなら早かれ遅かれそれらの我は不確かになりやがて隠れて見失われるか迷路に迷い込むかのいずれかであったといえよう。なぜ隠れるのか、なぜ迷路に迷うのか、ほかならない、真の我が時間と空間のうちにはないからである。時間と空間のうちに本来的にはない霊体我こそが我だからである。

それを悟性が知ろうとする自己意識と較べてみよう。悟性が追う我は主観－客観の構造の中で摑まれようとするのであるが、悟性は真の我を摑まえたであろうか。これについては先に見たごとくである。霊体我は主観ではなく霊体我の知るものは客観ではない。なぜなら霊体我は対象化認識を超え出ており主観－客観構造を超え出ており、真の我も主観－客観の内にはない。真の世界も主観－客観のうちにはない。

真の我と真の世界とは光の明証性の下にあり、それらはまた光を見るもの、永遠、無限、普遍を見るものでありかつ光の下に見られ、永遠、無限、普遍の下に見られるものである。真の我は光と永遠、無限、普遍に見られ真の我は光と永遠、無限、普遍の中で自身を知りそして世界を知る。霊体我はそのように知るということによって、光と永遠、無限、普遍に包摂され、自らと世界の在るということを達成する。このことはつとにパルメニデスが語ったテーゼのとおりである。「知ることと在ることとは同じ一つのことである」。

時空を超えて無なる境涯に残留した意識は生成場に顕れた霊体我を見出し帰源する。四次元時空において意識は自我に着き自我を写してきたのであったが、自我が消え物質が消え無が顕れると無を写してきたのであった。その意識がはじめて、霊体我に自己を見出し、霊体我へと全面的に帰源したのである。

意識が自我に着いているとき、しかし自我を追っていくとその先が途切れ、意識はあるところまでしか達しないのであった。自我が意識の終着点ではなかったのであり、生成場次元に到ってそこに顕れた霊体我に出会いようやく帰一するという変移をたどったと思われる。

真理論

真理論の視座から論考することがこの記述に課せられた務めである。

ただし、真理論の視座とここに言うのは、すべてのひとに内在する能力である直知をもってする真理認識の経験によるところのものである。

真理論は現象学ではなく、本質学である。それは言い換えれば現象を現象化させるその本質を無媒介に直知する方法に則る学である。

直知の哲学は哲学の主体と哲学の客体が連続的である。

真理論は思考なしには記述できないとしても決して思考によって導き出されるものではなく、あくまで思考とは別個の直知が、現象を現象化させる本質を直接知ることを明らかにするものである。

古来少なからぬ真理論が論じられているが真理論とは上記のごとき真理に真向かおうとする理論である。果たして人間の身で真理なるものにどこまで迫れるのか。真理論について述べたフッサールの言を借りるなら、それは、天使が見ても、神々が見てもかわらず同じはずのものである。人間がそのような知を知ることがたとえできたとして、そのような知は人間の通常の認識と相容れるか、あるいは調停可能であろうか。

真理論は、したがって人間の知識や人間の科学や人間の学問や人間の欲求や人間の行為と相容れるかどうかはわからない。あるいは相容れないことが判明するかもしれないが、科学や学問や人間の欲求に反するとしてもそれを超えた知を知ったのが真理論となるのである。上位にあるのは真理である。普遍の実在は変わらない。普遍の実在に真向かう真理論はそのため本旨において有史以来変わらない。わたしたちが、古代のパルメニデスやプラトンを引き、中世のマイスター・エックハルトを引き、近代のヘルダーリンを引くのも、彼らの真理論が同じく普遍の実在に真向かい、それゆえそれらの述べる本旨において多くが類似するからである。それならなぜこと新たに書き改める必要があるのか。時代に属するわれわれ人間の側が変貌するからである。文明が変わり、文化が変わり、世界観が変わり、人間観が変わる。歴史の子として人間も個人も変わる。実在に対するわれわれの距離、実在に対するわれわれの甚だしい変貌が、改めて真理論を要請せざるをえない。

真理論は総合的

真理論が全体の知であるというとき、わたしたちの知の領域分けは再検証されなければならなくなる。なぜなら真理のその全体の広大さは、人間がいっぺんにそれを把握したり理解したりすることは不得手だからである。科学というとりわけ分析的理性による認識の有効な領域、科学ではない人文分野の学問の領域、人間学の領域、宗教という領域、芸術という領域——そして人生それ自体によって知ることができる領域等々がすべて真理として提示されるものだからである。

真理論は特殊を含む全体として体系をなす

いうまでもなく哲学の全体性とは経験の集大成ではなく、真理という全体性にかしずくものである。

イ　量子力学が対象化認識の不備を発見した。対象化認識する意識は自己を世界から除外し、正しく世界を認識できない。

ロ　わたしたちの直知の哲学は自己を世界から除外しない。

ハ　世界は対象化認識の四次元時空だけでなく、併せて非時空の次元をもっている。

ニ　非時空の次元にはわたしたちの言う生成場があり、生成場には永遠の本質世界から光とともに本質価値が流れ込んでいる。

ホ　その生成場から、本質価値の破れとして時空、エネルギー、物質が繰り出されているのである。

ヘ　直知の認識においては、宇宙とは、四次元時空だけでなく、生成場次元を合わせて持つところである。

ト　上記の認識経験は現今の科学的世界観と隔絶しているように考えられるからである。しかしそうでないことが量子力学によって明らかになって来ている。だがわたしたちの得た光の明証による得心は、他のひとびとに受け入れられにくいとはいえ、わたしたちは伝達の責務を覚えないではいない。

そして、わたしに言わせるなら、意識の主体と思われている自我が消えるとき、物質も消えるのであり、さらに、四次元時空の〝時空〟を超え出ることができるのである。この経験についてわたしたちは「光の範型」の証言を辿ることによって、その事実性を明らかにしたのであったが、近年科学者によっても同様な証言が提示されている。

自我と物の世界は、すべてにおいて対象化世界であるが、対象化されにくいものである、いのち、魂、愛、歓喜などは除外されていたのである。

世界は今日説明されているような対象化された世界だけではない。対象化されない、対象化に適さない次元をもっており、したがって現代物理学が言いすでに通念ともなっている四次元時空だけではなく、時間でも空間でもない非時空の次元を合わせて持っていて、わたしたちはその四次元時空と非時空の次元の両方に生きているということなのである。確かに非時空の次元は隠れて通常知られることは極めて少ないけれど、しかしわたしたち自身を我と呼ぶなら、その我も、そしてその我のいのちも、その隠れた見えない次元に関係してあるということが明らかとなるのである。そのように関係してあるのが、では人間だけであるかといえば、そうではなく、他の動物や植物あるいは別の生命もまた命ある者のいのちがそれらの見えない隠れた次元に関係してあるのであり、さらにさかのぼれば物質でさえ、その誕生の場所というのがその隠れて見えない次元にあるのである。

およそ現代の科学では取り扱わないで無としてきたところが、わたしたちがその在るということによって示されなければならないところである。

真理論における本質価値と現代の諸価値とは繫がりがあるのか。真理論における本質価値と現代の学問における諸発見とは関連があるのか。

そして真理論を記述するうえで物理学が発見した量子論は極めて重要である。

量子論が発見した極微の場である量子場は、真理論が展開する場とまさしく隣接していると考えられ、量子論が発見した相反する意味を併せ持つ内容や対称性といった秩序の内容は普遍度が高く真理論の内容に近似するところをもっているのである。

真理論と時間・空間

今日真理論を言う場合、真理論は時間－空間と、今日ではほとんど知られなくなった非－時空ならびに永遠の全体からなる、といわなければその全容を視野に入れることはできなくなった。

今日非－時空あるいは永遠なる場所は失われている。自然科学も人文諸学も時空でない場所については、それが不可知でありかつ実証できないゆえにその存在を学問の領域から締め出している。しかし物理学の、二十世紀初頭に切り開かれた量子力学が、その時空でない場所に遭遇するという出来事に出来して以来、その意味は物理学においては究明されないまま、確かなものとして在ることだけは理解され、物理学と化学で技術利用されているのである。

ご承知のように量子論は、原子以下の、電子など極微の素粒子は、観測するまでは粒子であるが、観測しなければ波であると唱えてきた。以来九十年、この事実は不動のものとして確認されている。

わたしたち人間の通常の認識ではたとえ電子などを見ることができたとしても粒子しか見ない。物理学者も同様で、物理学者が行う観測という行為によっては、粒子しか見えない。それは物理学者の行う観測も当然ながら通常の時間と空間の裡において行われるからである。だが物理学者が観測しないとき、電子など素粒子は粒子ではなく広がる波である。

ひとは四次元時空にある。このときひとは量子論的に言うならば波束の収縮した粒子として存在している。眼は認識する対象を三次元の空間と一次元の時間だけを受像し脳神経系に伝達し脳もまた三次元の空間と一次元の時間として対象を認識する。極微領域の波動は、ひとの脳には把握できない。四次元時空以外の非－時空部分、非局在性と呼ばれる時空を超えた部分はひとの脳が摑むことができないのである。

わたしたちの提示する真理論はこの非局在性と重なり合って、ひとの認識や事物、いのちといった、世にある諸々のものが時空に現れ波束の収縮を来す前、すなわち諸々のものが四次元時空の粒子として誕生する以前をみるのである。それはではただ誕生する前の話に過ぎないのか。そうではない、現に今も波動性の部分を抱えて生きているし、そのように存在しているのである。人間も諸々のものも、四次元時空に粒子としてあるばかりではなく、併せて波動としてもあるということを観るのである。

今日あらためて真理論を記述しようとするにあたって、現代を大きく特徴づけているものをみておくなら、それは人間中心主義、グローバル資本主義、科学主義であるということができるであろう。そしてここにはかつて永遠なるものであったはずの神はもういない。十九世紀まで細々といのちを保っていた普遍者も、ニーチェが言うごとく、「神は死んだ」のである。

しかし真理論からみるなら、科学をはじめとする諸学や、その他の人間の行為も、真理とのかかわりについてはまだ緒に就いた段階であると考えられる。わたしたちにできることはわたしたちの知る真理論と他の諸学や行為との異同を記述することである。

なぜ真理論か

現代人が今日も多く信任しているのは科学である。そのことに鑑み、わたしたちは前著『明けゆく次元』においては科学、なかんずく現代物理学とのできる限りのすり合わせを行いつつ、わたしたちの認識経験としての真理論を論述することに意を用いた。

わたしたちの意図はしかし成功したとはいいがたい。それは、わたしたちが現代物理学として取り上げた量子力学であり素粒子物理学であるそれらの深層が、いまなお知識あるひとびとにさえ十分把握されていなかったということが要因の一つとして挙げられよう。多くの現代人が信任する科学というのは、ビビッドに真相を見せつつある量子力学ではなく、先端物理学であるとしても真相を覆い隠して技術利用に邁進するそれなのである。これでは真理の一半を垣間見せると考えられる素粒子物理学を持ち出してもさほど意味がない。

むしろ現代人が科学の功利性を信任していることが浮かび上がってくるばかりでは、問題は科学というより、そのような科学観に望みを託する現代人のこころにある、といえるであろう。

今日科学においても哲学においても学問の全般を通じて、次のことが欠落しておりそのことによってわたしたちの世界理解ならびに人間理解、自己理解、自然理解が適切でないものになっているが、それを正し続けることが必要であろう。

真理論とは何か

哲学、宗教、科学を跨いだ全体の包括理論。

真理論の特徴の一つがその認識経験である。真理論者は時空を超えた認識経験を唱え、永遠、普遍、絶対への接触とその証左としての光の次元の存在を言うことである。しかしそこには時間空間内しか対象としない現代科学との衝突が待ち構えている。現代科学の信任は厚い一方真理論は今日忘れられている。

真理論は真理の認識経験をもって、その知見を論ずるものである。しかしそのような認識経験が多く頻繁に起こることではないことから、大多数の未経験者からすれば独断論とみられる可能性を多分に持つ。

一方科学の認識にも、一般の参画できない認識が大部分であるけれど、それは他の専門識者によって検証可能なのである。この他の専門家が検証できるという信頼が、真理論にも何らかの形で付加されなければならない。

わたしは、それが科学からの傍証であり、また他の真理論者からの傍証であろうと考える。しかし更なる信頼はどのように得られるのか。独断論ではだめだ。かといって民主主義も真理論の方法ではない。「共感感覚」「感知する意識」「内心の声」等を拾わねばならない。

真理論は宗教との接点を多く持つためややもすると宗教理論と区別できなくなる弊を持ちかねない。しかしそれでは真理論が信仰へと変移することであり真理論としての自立は確保できない。真理論は永遠、神、こころ等を主題にする面では、宗教だけでなく、現代の精神世界のものと類似した主題を扱うものでもある。精神世界のものは極めて主観性が強く、客観性をないがしろにする。科学を引き合いに出す場合でも仮説を多く採用し、あるいは疑似科学をも採用する。学問としては厳密性がないために学問として取り扱われない。

しかし意味こそは哲学が問うてきたのではなかったのか。

神秘体験は意味が明かされる体験である。

このような体験は他に比類がない。どのような思惟も、どのような思考も、神秘体験によって明かされる出来事に比較すれば矮小で見通しがなく限定的である。ハイデガーはまさに神秘体験を出来事と呼び、その出来事の追憶を哲学としようと試み、神秘体験の広大さと深奥さを記述しようとしたひとであった。

実証と論証

論証されえないもの——その最たるものが、ほかでもない、真理である。論証されうるもののなかに真理はない。論理も実験も実証も真理に届くことがない。逆に言うなら論理で届くもの、実験で届くもの、実証できるもののなかには、真理はない。

論証されえないもの、しかしその論証されえないものなくしては結局不条理に陥らざるをえない、そのようなものがあるということ、論証されえないもの、その論証されえないものなくしては、結局論証されるものさえ根拠付けができないもの、論証の終局においてそのような論証されえないものがあるということ、そのようなものがあるということである。

端的に言おう。時空を超えて在るもの、それが在るとしてもそれは論証されえない、そのようなものである。さらに端的に言おう、真理は論証されえない、なぜなら真理は永遠と普遍に属し時間と空間の有限性を超えたものであるからである。

一般的には論証されえないものは論証の最終局面において露《あらわ》になり、そのときひとは論証されえないものの否定がもたらす破綻に直面する。

真理の論理学

四次元時空においては、「物質は物質からしか生まれない」は正しい。

しかし、時空を超えたところでは、物質は物質ではないところから生まれる。だがこれでは論理は一貫しない。ここで使われている論理学がおかしいと考えられなければならない。「物質は物質からしか生まれない」という分析的知性の論理、これは対象化認識によるものであり、そうであれば三次元の認識ということであって、それ以上のものが見えるということはないし、それ以上の存在があるとは認識できないのであるから、当然である。しかしそれは、論理学自体を限定しているのであり、あるものの全体を捉える論理学ではないのである。

意味とロゴス

科学は事象を観察しそこに何らかの法則を見出そうとする。これは一種の意味追求であるけれど、ただ近代以前に行っていた意味追求ではない。科学は決して事象以上には意味を一人歩きさせないのである。それが科学の信頼性を確保させてきた。これに対し、意味とは一般には言葉が持っている概念を指す。ここでは論理が許容する限りの意味を追究する。

プラトンの言う意味とはロゴスであったが、プラトンはロゴスを後世が間違って理解しているようにはそれは思考によるものとはせず、したがってロゴスを理性と結び付けなかった。ロゴスは魂が知るヌースの理である。

さてわたしたちにおける意味は生成場からもたらされるのであり、それはプラトンのロゴスに近い。そこで生成場からみるなら、意味とは何であろう。

わたしたちにおいて意味とは本質価値である。本質価値とは何かといえば本質世界が生成場と現象界へともたらすものであり、いうなれば、本質世界の意志を表現したものである。意味をわたしたちは本質世界の意志の表現という観点から測りなおしてみよう。なぜこのようなことを言うかといえば、この四次元時空の現象界に起こる事々は、大きな流れとしては本質世界の意志というものによって繋がっているからである。ただ、これを見抜くのはともすれば主観的恣意的になるだろう。その適切でない例がヘーゲルが歴史に適用した精神である。なぜこのように誤解するのかといえば、本質世界の意志はこの四次元時空に現象として容易く表されているものではない。ハイデガーの存在論的現象学もまた成功しなかった。

宗教、芸術、倫理の源は、人間の理性の思い及ぶ範囲を超えている。それは人間の思考や感情の枠を超えて、意味が発生しているからである。それこそ魂がヌースを観ることによってはじめて知り得るものである。

宗教、芸術、倫理のひとは自我に囚われること少ないひとである。

第三章　真理認識と照明

古代ギリシャにおいて知恵を愛するという意味のフィロソフィを打ち立てたプラトンにとって、哲学をするという動機となったものは驚異であった。彼はその哲学の全著作をもってこの驚異をこそ述べたのである。一体それはどのような驚異なのか。プラトンの驚異とは、彼が日常の認識や知識では思いも及ばない真理の光景を目の当たりするという経験をもったこと、真理に撃たれ貫かれるという体験をしたことであって、その内容こそが彼の哲学の動機であり著述の動機であることは、その著を一読するなら容易に確かめ得ることである。

さて、ここに僭越を顧みず申し述べるならば、わたしたちの本質直知の哲学なるものもまさにこの偉大な先人に倣うものであって幸運にも授かった驚嘆すべき知を記述し伝達の勤めを果たそうとの意味以外のなにものでもない。

わたしたちはヘーゲルによる弁証法への大きな貢献とその過大な適用という惜しい過ちを後に点検

しておくが、弁証法的こころの運動が、驚異の認識世界へと連れ出すそのまさに驚異の世界から語り始めることにしよう。

真理の認識

真理は無限であり、認識する人間は有限である。ここには甚だしい懸崖、甚だしい断絶がある。いったいこの懸崖、この断絶が超えられるのであろうか。有限な人間が無限なものを、その有限なままにおいて認識できるということはありえない。ただの思考が真理を認識できないのは理の当然である。そしてこの甚だしい断絶を超える真理認識の方法が、わたしたちの論じる本質直知の認識方法なのである。

直知への道

時間―空間の裡にあるこころがそのまま本質直知へと赴くということはない。上昇しようとするところは己の否定を完膚なきまでに遂行して初めて、すなわちまず無に行き着くことに及んではじめて――すなわち境位を上げ真に上昇へと乗り出し、そのためには自己を否定しつくしてはじめて、無なる場所、やがてそこには光が射す本質直知の場所に達するのである。

直知の認識

直知の認識が霊体我による認識であり、その認識がどのように起こりどのようであるかを述べるとしても、それを対象化認識で示すことは難しい。ただ直知の認識を共に体験するか、あるいは直知の認識に接近することによって、共感するという方法で理解をえることができるものである。多くのひとが共感しうる認識であって、多くのひとが忘れていたとしてもその認識を知ったなら賛同することができる認識なのである。

わたしたちの知の根源は真理認識からくる以外の何物でもない。他の認識はそれと比べることが全くできない。

ではなぜわたしたちにこの認識がもたらされたのであろうか。それをわたしたちが知る意味は、一体どこにあったのであろう。直知の認識はその体験中にある者を至福と恍惚の至上の場所に連れ去る。ではわたしにそれを味わわせるためにその認識は与えられたのであろうか。わたし一人のために与えられたものとは到底思えない。

それをわたしたちが今日伝えなければならないということではないであろうか。それほど今日そのような直知の認識が忘れられており、そしてまた、一面的な認識だけで世界を見ており、世界が正しくなく説明されているからなのではないであろうか。

もう一つの認識経験――四次元時空の認識

ひとは通常、縦横高さという三次元の空間に時間を一次元加えた四次元時空の中で暮らしている。ひとは四次元時空を対象として知覚し、感じ、この四次元時空を世界として認識しこの四次元時空において行為する。ひとは自我を主体とし、自我以外の存在者を客体とし、自我という主観において自我以外の存在者を客観として対象的に認識する認識経験を行っている。これが通常ひとがしている対象化認識という認識経験である。

ところで、ひとが持つ認識経験は上記のような対象化認識の経験だけであろうか。そうではない。古来哲学において、また宗教や芸術の一部において、対象化認識ではない直知による認識というものがあった。しかし近現代の科学の隆盛とともに、そのような認識は顧みられることがなくなった。わたしたちはその直知の認識というものによって、世界と自己を記述しようというのである。

直知の哲学

イ　四次元時空を突破し、非時空を観る認識経験。

ロ　非時空に流れ込む永遠を観、永遠の相のもとに、世界と自己を見る。したがってその認識は時空の有限を超え普遍を観、普遍を表現する。

ハ　わたしたちの言葉でいうなら、その認識は非時空の生成場を見る。そこで生成場に流れ込む永遠を知る。またその生成場を通じて改めて更生した四次元時空の新たな相、四次元時空の存在者の新たな姿を観る。

ニ　その哲学はしたがって普遍から、世界と自己を説明する。科学による認識はあくまで現象から、あるいは現象の要素還元から世界を説明するという小なるものによって大なるものが生じるという説明とは違って、直知の哲学は普遍という大なるものから小なるものを説明する。

ホ　四次元時空と生成場の間の境界領域を知る。またその境界領域の存在者を知る。その場所とその存在者とは、四次元時空の初発の姿を見せる。

真理認識

しかし直知については他の直観なぞと断然区別しなければならない。哲学者たちの直観のほとんどが直知ではない。哲学者の認識論における聞きかじりを退けなければならない。「光の範型の真理論」でなければ「次元変容の認識」は起こらない。

次元変容の認識だけが真理の次元である生成場に赴くのであり、紛らわしい、あやふやな真理論は断じて退けなければならない。

「光の範型の真理論」だけが、明確な次元変容を起こす。すなわち四次元時空から生成場次元への超出を実現する。直知の認識とはこの場合に該当する認識であり、いわゆる変性意識や直観には階層性があるけれど、わたしたちの知るところ「光の範型の真理論」以外の変性意識や直観においては、次元変容まで起こすということはなさそうである。わたしたちの認識論は次元変容の認識論である。

真理感

真理感というものがある。奥深いところから来るインスピレーションにともなって、その正しさを告げる感情である。美に感動したときのそれと類似しているかもしれない。ひとはみなこのような経験を持っているであろう。そのようなとき正解の手本がなくともその正しさを確信できるのである。なぜ確信するのか、それは、答え自らがその正しさをわれわれに宣告するかのようである。

わたしの神秘体験には絶対の真理感がともなっていた。体験の内容の驚くべき事象がまさに真理を見たのだというそのような真理感である。

一体この特異な認識とは何だろう。人間は対象化認識をする動物である。人間は時間と空間において存在する。一体そのような人間が対象化認識を超えた認識をし、時間と空間を超え出た認識をするというのは本当なのであろうか。

いろいろな観点から点検してみる必要があるであろう。

科学はこのような認識をどうみなすのであろうか。これは科学で解答できることだろうか。科学にとって直ちに肯定できるテーマではないのは当然であろう。わたしたちは量子力学と測定の問題とこの真理認識とが似ているのではないかと考えている。

○脳の異常現象として見る見方――反論

脳内現象説

もし生成場における体験が脳内現象というなら、これ以上の驚異はない。真理を開示し、至高の愛、慈悲を生み出し、聖なる光を現象化し、永遠と無限とを現前させ、至純、聖に到達させ、生成場の活動を体験させることによって物質と生命の誕生の神秘を知り、宇宙の完全性を観照させ、至福、恍惚を得させるのだ。脳内現象としてこのようなことができるなら人間は平常では決してその力を現すことがないにもかかわらず、超越によってそれができるというそのことにおいてまさに神というしかないだろう。しかるに人間は神ではないのである。神でない人間がその脳内に人間の知を超絶した永遠、完全、至福を抱いているということはありえない。超越体験のすべては脳内現象ではない。

○脳の異常現象として見る見方――反論
神秘現象の客観的事象

神秘体験においては通常の時間や空間が、それに重なって、無限時間、無限空間に変容するのであるが、これはわたしの意識がそれを体験するという形で現れるため客観的事象であったとしてもそれを理解してもらうのは難しいであろう。では、空に、辺りに、翩翻《へんぽん》と光がたなびきはじめやがていったいに光が充満する事象はどうであろうか。これは風景の変容であり単なる意識内の変容を超えて、体外の出来事である。近くの木々から光の炎が上に向かって放たれ続けている。これもまた風景の変容である。ではこの風景の変容をわたしのそばに他人がいたら目撃できるであろうか。わたしは、わたしのように超越を果たしていないならその他人はたぶん目撃できないのではないかと思う。神秘体験がわたしの意識内の出来事を越えて風景の変容としてこの意味では客観的事象として起こりながら、超越によってしかその変容した風景は目撃できないとも思われ、その限りでは、他人に理解を求めにくい事象となってしまうのは、いたしかたないのである。そもそも高位次元に行くことの構造が超越にかかっている以上いたしかたがない。

○脳の異常現象として見る見方――反論
わたしの神秘体験は脳内現象ではない

わたしの神秘体験は多くは道を歩いていて突如訪れたのである。通常の意識で、眼前の景色を見ながら道路を歩いていて、突然神秘体験が降ってきたのである。わたしが体験した状況には神秘体験を得ようと図る何の作為も準備もなく、向こうの側から、体験が襲いかかってきたのである。これは普通に道を歩いていたひとがその目撃物を脳内現象であるといわれたとしたら滑稽なのとおなじである。

真理論　時間・空間

「この十年の数々の不可解な発見から得られる非常に大切な教訓の一つは、時間と空間にもっと根本的な記述があるはずだということだろう」。この問題を簡潔に要約するのが、(ひも理論の) エドワード・ウィッテンの「空間と時間は消える運命にあるのかもしれない」という言葉だ。代表的なひも理論研究者の多くもその見方に同意する。「空間と時間は幻想だと、私はほぼ確信している」と、ネイサン・サイバーグは断言した。

証明すること

証明の問題は真理の問題でもある。

現在、真理についての取り扱いが困難に見舞われている。わたしたちの唱える真理は証明という困難にぶつかる。これが科学の信用されるゆえんであるが、一方科学は真理には届かない。それに引き換え、真理の光による明証という揺るぎない証明は、それを知らない人に伝えがたいにせよ真理の問題に関わる以上第一の出来事である。

科学の証明

では科学は証明することができるというのであろうか。

科学的証明とはどのようなものであろうか。科学的証明とは、ある事象がその事象を誰が何度観測しても変わらずに同じであるとき、その普遍性が証明される、というものである。ここで言われる、変わらずに同じというのは事象の恒常性を言っているのである。ここでいう恒常性とはどの場所でもどんな時間でも変化が見られないことを言っているのである。科学ではそれを実験で確認し、その事象についての理論が証明された、というのであり、その証明の万全度がほぼ揺るぎないと認定されるとそれを法則として取り扱うのである。

科学的証明がこのような内容であるということは、このような証明や法則が、対象的認識における観測にもとづく客観、すなわちわたしたちの主観－客観における客観なるものの証明であり法則であることがそのまま直ちに納得できるであろう。科学的証明は対象的認識を超えず、主観－客観を超えず、したがってまた時間－空間を超えない。

では科学的証明とは何か。わたしたちのたえざる変化に晒《さら》された現象界の中の、恒常的であるとわたしたちが観測したもののことなのである。

ではどこまで恒常的であるといえるのであろう。それは、科学がさらにその変化に再び気がつくまで、ということなのである。そして科学の法則はそのようにして法則を再修正するものなのである。

論証と論理学

論理は近現代においては、人間が考えられる範囲の論理の学になっている。カントにとって理性がそうであったように、近現代の論理学では「物自体」には届かない。

真理は思考によって捉えられるものではない

真理を捉えるのは魂である。ひとは思考によって魂に迫ることはできない。魂に迫るのはこころである。こころを深めることが魂への道となる。魂——霊体我によって生成場へと進むことが真理と対面できるただ一つの道である。その他の道はその周辺をめぐるだけであり、思考もまた周辺をめぐる方法である。

思考が真理にかかわるのは、霊体我が生成場から現象界に戻ってきてからである。思考は今体験した真理の出来事を、思量し吟味する。しかしそれは真理の骨であっても真理ではない。

真理がその骨でよしとする思考は対象化思考そのものであり、対象化思考によって真理をとらえようとする行為も意図もそのことによって別のものをとらえることになる。

論証や数学的証明の欠陥——非経験的な証明と人間の頭脳の限界

論理学や数学、あるいは現代物理学が用いる数学的な証明というものがいかにも確実性を持つと考えられるのは、それが思考の厳密性に基づいているというところにある。人間の思考力の秩序に厳密に則っている、とそれは考えられている。ではそれは確かに万全であると言えるのか。ここにはすくなくとも二つの問題がある。その一つは、それらの抽象的な思考は、いかに秩序正しく厳密であったとしても、それはあくまで人間の思考による抽象であって、思考する当のものを体験しているわけではない、ということである。

次いでもう一つの問題点は、それらの思考が有限な能力の人間の頭脳によるものである限り、その思考による解は真の意味の普遍性を持てない、ということである。

万物の理論と真理論

物理学が万物の理論を表す方程式を発見したら、それでどうなるというのだ。ひとも生命も幸せになるということができるとでもいうのか。しかし真理論はそれとは異なる。

現象学としての諸学、宗教、芸術

物理学は本質価値の現象学である。

同様に、生物学は本質世界の現象学である。

宗教も、芸術も人間というものの現象学である。

文明のパラダイム

ヨーロッパではＢＣ一世紀から軍事文明であり、四世紀に宗教を取り入れ宗教文明をつくった。十五世紀、ルネッサンスとともに宗教文明の体制が崩壊へと向かい、人間主義文明がスタートし、科学と経済を中心とした、資本主義文明として今日を迎えている。

中東とインドはいまなお宗教文明が温存されている。

中国は初めから今日に至るまで軍事文明の国である。

日本は五世紀まで神道文明の国であった。六世紀以降神道・仏教混交の文明を作り、十一世紀以降軍事文明となり、明治以降資本主義文明体制となる。

第四章　もう一つの認識経験――弁証法

こころの弁証法

ヘーゲルは弁証法を無際限に持ち出すという誤りを犯したが、ヘーゲルの弁証法が真に正鵠を穿つのはそれが真理を求めるこころの弁証法として摑みとられたときである（ヘーゲルは思考の方法としたがわたしたちはさらにこれをこころの弁証法と言う）。有限な人間が無限なものを知るのはそのこころの弁証法が次元を超えさせるという稀有な事象を遂行させる。このような真理を求めるこころの弁証法については、プラトンやエックハルトにも記述されており、こころの運動によって時空を突破し、非時空の場へと赴くことができる。ひとは誰しもこころの弁証法を遂行するなら真理の扉を開くことができる。ただ、それはその都度その都度の一回的な出来事であり、そのような超越が恒常化することはない。まして無際限に弁証法が何事につけ持ち出されるということはナンセンスとしかいえないことである。

弁証法

憧れなしには弁証法を推進できない。

次元変容と直知主体――自我棄却と魂

生成場次元に来ることができるのは、わたしたち人間であれば魂である。自我も身体も生成場に来ることはできない。自我は生成場では消え、身体は四次元時空の現象界に残る、すなわちわたしたち人間が生成場において活動するのは魂のみであり、生成場から四次元時空の現象界を見るとき活動する魂のみが自覚され、身体は見えないわけではないけれど、その活動は魂とは異なり魂に従属しいわば希薄になっている。

生成場から現象界にある人間を見るとき、だから身体はもちろんあるが、その身体は魂に付随してあるのであって、生成場にいないで四次元時空の現象界に在るときであれば人間はまず身体が見え霊体我は全く見えないということと対比すれば、その地位は完全に逆転しているといわねばならない。

境位と次元の変容による哲学

自我境位　――→　霊体我境位　に変容する。それはまた、

四次元時空の自我境位　――→　非時空の霊体我境位　になることである。

すなわち左辺が、矢印の示す右辺に、境位が変容するとき、それはまた、左辺の四次元時空から矢

印の示す右辺のように、次元が非時空へと変容することである。

この変容は、認識する認識者が変わり、認識されるその対象もまた変わるのであって、これまでの哲学が通常の認識と通常の認識対象を語ってきたそのような認識経験と、まったく異なる認識経験が表明されているということである。

ところで霊体我境位や非時空次元においてはじめて、真理の経験が訪れ、その真理の把握とその把握を通じてそれを判断し言語へと齎《もたら》そうとするのがわたしたちの直知の哲学である。しかし近現代においてはその霊体我境位の経験が失われた結果、もはやそのような真理の把握はほとんど失われている。今日哲学が領域にしているのは、あくまでわたしたちの通常の世界である四次元時空であって、もはやどうその四次元時空について語ろうと、そこには真理は発見不能であることは、つとにカントが論理的に明らかにした通りなのである。そこではどう論理を精妙にしようと、我は明らかにならず、世界は明らかにならず、生命は明らかにならない。そしてその哲学としては四次元時空の中のことについての知見としては、現代物理学にはるかに及ばず、こころのことについては、臨床医学や心理学に及ばず、生命については、生命諸科学に及ばない。現代の哲学は果たしてどれだけの成果をあげえているのであろうか。

永遠、無限、絶対を憧れさせるもの

この永遠、無限、絶対の憧れが起こってくるが、それはどこから起こってくるのであろう。

起こるところ、起こってくる出現の源、その出どころはよくわからないが、こころの内の内なると

ころから起こってくる。そしてその憧れを意志が働いて叶えようと立ち上がるのである。

永遠、無限、絶対が事物にあるとはすでに思っていない。永遠、無限、絶対はしかし事物の周りを縁取っているかもしれないと期待する。永遠、無限、絶対は事物そのものにあるとは思えないが、その事物に何らか漂ったり、その事物を縁取ったりしていないかと、思うのである。あるいは永遠、無限、絶対は事物の背後にあって事物にかすかな光が当たったり輝きを与えていないかと思う。それでも見つからないが、その場合は事物の背後や事物のすぐ上にそれらのただよいが感じられないかと、思う（後にわかることだが、わたしたちのこれらの感じは間違いではないのである。ただ、だからといって事物自体が、永遠、無限、絶対をもっているということではない）。

対象化認識を超えようとする認識

永遠、無限、絶対を求めようとする願望は早くから対象そのものを追求しようとすることではなく、その対象に隠れているものを見よう、探そうとしているのである。対象化認識にとどまろうとしない認識の活動を起こしているのである。

これらの願望はないものねだりをしようとしているのであろうか

このような願望は有限であることに飽き足りず、相対的であることに我慢ができないないものねだりのこころから起きてくるに過ぎない一種の幻想を紡ごうとする作業なのであろうか。

しかしわたしたちは事物や現象に永遠、無限、絶対の片鱗を垣間見るようなことがある……それは誤解であることが大半であろうとしても、何かのきっかけでその片鱗を目にしたという思いを知ることがあるのではないだろうか。美しい、偉大な、うっとりとする、賛嘆する、といったようなものにはそれらが含まれている……そう思うときがあるのではないか。だから必ずしもないものねだりではない。

しかし探求者は確信を持って臨んでいるのである。懐疑に陥ったりはほとんどしない。むしろ自分の探求の仕方や自分の境位が探求のレベルにいっていないのであろうと反省するのである。

「わたしたちの内なる秘かな霊性的意志」

隠れた霊体我、内なるひそかな霊体我は、無上なる意志を持って帰還する力を持っている。全存在はそのような帰還による聖なる満足を受けようと無上を目指すのである。

我性によるところの生命力的渇望、肉体の機械的な虚構をこばむなら、光の中に真の生命があらわれるであろう。

憧れが示すであろう、取り留めなく溢れる欲望、騒々しく新規な衝動と手を切るがいい、そうすれば深い愛が訪れ自分の内なるものとなって無限者を呼ぼうとするであろう。真理と光明と完全性の追求、叡智と真智への渇仰がやむにやまれぬものとして現れるであろう――これらは自我ではない、自己を拡大し欲望で満たした意図する自我ではない。

想起、帰還、帰郷

憧れる先はまったく見知らない先なのであろうか。憧れは見も知らないものを憧れているのであろうか。もし憧れの先が皆目見当もつかない未知なるものであるならそのように未知なものがなぜ憧れの対象となるであろう。なぜなら憧れとはそれが憧れるものであるところのより高いより素晴らしいものであるのを前提にしなければ憧れというものが生じないのではないであろうか。そうであろう、その先に恐ろしい怪物がいるかも知れず魔があるかもしれないそのようなものは憧れとならず逃げ出すべき対象でしかないはずであり、しかし、現に憧れこそがあるというからにはそこには希望すべきこと、より高いものが不確かさを含み未知なものを含みながらも一種想定されているのでなければならないのではないか。未知で、知りえないところであるというだけでは憧れとはならずそれは冒険であるに留まるはずである。しかし憧れが強く惹きつけ強く牽引する。

それがなぜかと言えば憧れる先には何があるかということを、憧れるこころがどこかで知っていたから、と考えることが筋が通っていると言えるのではないであろうか。憧れる心はすでに知っているより高くより素晴らしいところへと向かおうとしていると、考えられるのである。この憧れるというこころは、であるなら、想起である。

記憶と想起

記憶は思惟の範疇にあり、対象に係わる。わたしたちがここで想起というプラトンの用語を用いたのにはプラトン自身がそうであったと考えるべきだと思うのであるが、それは対象としてあるものの記憶ではなく対象化認識としての思惟の範疇にはない、時空を超えたものの想い起こしなのである。想起とはここで、本質が想い起こされている。本質は現象ではなく四次元時空のうちにはなく時空を超出しなければならず、時空を超えれば対象像はなく、その意味では対象を記憶するのではなく対象化しないものを想い起こすこととしての想起である。プラトンの想起も、イデアという時空を超えて在るものの想い起こしであるがゆえに想起なのである。

自得と完全了解

ひとはなにゆえに知を欲するのか、なにゆえに思惟するのか。最終的には自得し完全了解に達するためである。なに一つ欠けることのない知の充足を得、まったく完全な覚知を得、その完全性に満ち足りるためである。もしそのような了解と自得がないならともかく、そのような自得と完全了解があるということをひとはどこかで知っていて追求する。思惟や知への飢えには、根源的なものから来る誘いがある。それがひとを駆り立てひとに知ることを促し続けるのである。

そしてひとは自得し完全了解に達することができ、それができたとき、その飢えは去り円満なまことの平安、悟りが訪れるのである。

霊体我への道

霊体我への道は思惟によっては辿れない。霊体我への道は体験知によらなければならない。体験知とは、愛であり、美であり、——それらは対象ではない——愛、美によって、対象なきものへと憧れ出、超え出る道である。ただその愛、美は純粋・無垢を秤として押し進められなければならず、愛・美が純粋無垢なものとなるとは、そのとき愛・美は清められほとんど永遠のものに近似するものとなり、それは翻って愛・美のために自己を打ち棄てるものとなることである。

霊体我の意識のはじまるとき

霊体我と身体のそれぞれの意識の重層するさまは次のようである。日中の太陽光の下を歩いているとき、ふと太陽の光を押して強く明るいきらめきが輝きだすのに「おや」と思わず驚きを覚えながら、気持ちに喜ばしさがみるみる広がっていくのを感じて立ち止まらざるを得なくなりつつも、最初は何がなんだかさっぱりわからず、異常な内外の変化をじっと窺うのである。変化は内外——外の光と気分とにまず訪れ、その変化が急速に拡大し有無を言わない規模で大きくなり、間をおかず圧倒的に広がり拡大する。だからすぐにも霊体我に主導され、霊体我は霊体我で光とそれが展開する本質諸価値（愛、美、生命……）そして喜悦に鷲づかみされるのである。このときは意識の重層性は消え、霊体我が光とそれによることごとに圧伏されるばかりとなるのであり、霊体我はそれらを完全に受容するばかりとなる。

霊体我とシチュエーション（境位）

①日常性における霊体我

日常性にあっては、つまりひとの通常のあり方においては自我が働いており、このようなとき霊体我の存在はまったく意識されないし、そのような存在があること自体が否認される。通常では霊体我はないのである。

②内なる自己のシチュエーション

このとき、ひとは稀に何かの呼びかけのようなものを感じるかもしれない、しかしそれを霊体我として考えることはない。仮に知識がすでにあってそれを意識したとしても何も判然とはしないであろう。

③自我が退場し客観が失われ、無が出現する

何ともわからないその状況を逐一見ている受動的な意識があり続ける。その意識がもはや失われた自我でないことだけが判然としている。

④生成場の出現と霊体我の登場

受動的な見る意識に、——それは外の光景であるが——光が顕れる。聖なる光が顕現する。やがてそこが生成場であると知られ、降る光はそれが本質価値であることが受動的な見る意識に判る。そのとき意識が、明確に従前の我とはまったく異なる霊体我であると画然と明らかにされるのである。

⑤生成場－現象界と霊体我

生成場のある日常が、生成場－現象界であり、そのとき霊体我は霊体我でありながら通常の身体と

も協同し日常生活を送る。

認識の変容（物理光から聖光へ）

自我が担っていた認識は、自我が退場した後、無となりその後霊体我が担うことになる。ここで起こることは次のことである。

自我主体——時空の裡、物理的世界、現象の対象化認識、電磁波の光による認識

自我の退場——時空の外（ただし、境界領域）、物理学的場の世界、電磁波の光がないという意味での無、闇

霊体我——非時空、非物理的世界、生成場、直知、本質世界の光

自我の物理的世界では電磁波の光が視覚中心の認識を支えていたが、自我の退場による物質の消滅によって、無、すなわち物質の無が露呈するとともに電磁波の光もなく一切が闇となる。しかし闇の先は生成場であり、生成場に射すのは本質世界の光であり、霊体我の覚醒とともに、霊体我による認識が始まる。霊体我が見ることができるのは、本質世界の光によってであり、生成場に展開するのは本質世界が光とともにもたらす本質価値である。

霊体我になるならば

ひとが霊体我になるならば、そのときひとはこれまで悩んできたさまざまなものから無縁になっている。それどころか、霊体我はたえざる喜びの中にある。しかしその喜びを脇において、なぜ霊体我

が悩みから解放されているのかを見るならば、霊体我には死というものがなく、霊体我には対立する他というものがなく、霊体我には不純なるものがなく、霊体我には欲望に駆られる悩みがなく、――ただただ降り来る光、降り来る本質価値を享受すればよいからである。

これに対して自我はなんと悩み多き存在であるか、欲望は満たされず、欲望の渇きは意識がある間中つづき、欲望のためにさまざまな行為に明け暮れさせられる。

カントの弁証論

「彼（――カント、注著者）の一番の狙いは、カテゴリーを主観的自我としての自意識へ取り戻すにあった。しかしこの規定（目的）のために、彼の観点は意識と意識の対象との内部にとどまることになり、その結果、感覚と直観とによる経験の彼方に、なお思惟的自意識によって措定されず、規定されない或るもの、即ち思惟に無関係な、外的な存在である物自体を残すことになった」

（ヘーゲル『大論理学』上巻の一、武市健人訳、50～51頁）

「（カントが行ったように、注著者）もしも弁証法的なもののこの抽象性＝否定的側面にのみとどまるとすれば、その帰結は、理性が無限者を認識し得ないというお定りの文句となる」

（同書、43頁）

しかしヘーゲルの弁証法にも問題は大有りなのだ。

彼の「有」、「無」、「光」について見よ！――それらは時空のものでしかないのだ。

「無は単に有の欠如にすぎず、例えば闇は単に光の欠如であり、寒は暖の欠如である等。闇は眼と関係することによって、即ち積極的なものである光と外的に比較されることによってはじめて意味をもつものであり、同様に寒もわれわれの感覚の中にある何かにすぎない」（同書、１０７頁）

ヘーゲルが彼自身の弁証法の遂行によって無を知ったのではなく、さらに無の反転によっておおいなる光を知ったのではないことが、彼の弁証法の最大の問題点であることがこのようなところにもはしなく覗《のぞ》き見えるのである。

ヘーゲルの弁証法

ヘーゲル哲学の柱である弁証法は一つの典型的弁証法にもとづいて各種の類型的弁証法をもっている。ヘーゲル哲学を悩ましいものにするのがそれらの類型的弁証法であり、わたしたちからみるなら疑問を持つものも出てくる。わたしたちがヘーゲルの弁証法を高く評価するのはその典型的な弁証法で、それは、有―無―成として定式されているものである。

典型的弁証法の正しい理解とは次のものである。まず、この定式の語義を正しくとらえねばならない。

有とは、この現象界万般である。あるいは目前の対象物と捉えることでもいい。あるいはまた通常の自分ととらえてもいい。すなわち、有とは、四次元時空とそこに現れる万般であり、それを見ている通常の認識であり、あるいは通常の理性であり、科学が依拠する分析的理性でもあるしその科学が捉える世界でもある。そのような認識と認識対象が、弁証法の働きによって、より真なるものへと働く認識能力によって移行し、無となる、ということである。有―無はそのことを表している。無となるとは文字どおり無となる、ということである。この文字どおり無となるということが、ヘーゲル研究者でもよく理解していないのであるから、気の毒なのはヘーゲルである。物理的に無となる、ということが理解されていない。なぜなら通常そのような手品のようなことは起こらないからであり、その人たちはその奇妙な定式を理解するためそれを無という観念において納得しようとしているのである。だが、ここでは断固として物理的な無でなければならないと断定しよう。

有とは時間と空間の存在である。無とは時間と空間がなくなりしたがって時間と空間の側にいる人たちからみれば有もまたその時間と空間とともに消えてなくなるということである。

弁証法とは何ら思考の方法ではなく、思考の見方ではない。弁証法とは現象の変容を起こさせる出来事なのである。わたしたちの言い方で言うならひとは弁証法によって時空を超え出たのである、という言い方となる。そして真に無に達したならば、十分無の次元に達したならば、無は転換して成に移行する、というのがヘーゲルの有―無―成なのである。

ヘーゲル弁証法の最大の問題点

ヘーゲル弁証法の典型的定式は有―無―成であり、ここには卓越した洞察が提示されている。有―無―成は現象の変容と新たな次元の開示、すなわち真理の開示の法則がこの定式によって提示されたのである。弁証法はこの典型を基に、類型を多く作ったがしかしその中にはきわめて疑問符を投げかけなければならないものも生まれており、世界史への弁証法の適用なぞもそれに該当する類のものである。マルクス弁証法はよりによってそのあいまいで合理的でない、また科学的でもない歴史への弁証法適用を採用しているが、今日マルクスの弁証法がどのようなものとなっているかを見ればその弁証法がいかに妥当性を欠いているかを知ることができるであろう。

ヘーゲルの弁証法の過ちは弁証法を拡大解釈して世界や歴史に適用したところにある。

わたしたちの提示する弁証法

真理を求める意識の運動であるその弁証法はきわめて単純であり明快であり、ヘーゲルのそれのような多岐複雑であることを要しない。したがってヘーゲルを引き合いに出すことはもうやめ、わたしたちは自らが知る弁証法をただ説明した方がいいであろう。

わたしたちのいう弁証法とは次のものをさす。

（イ）主体（自己）の変容　a 自我　→ b 無　→（c 真我）
（ロ）客体の変容　a 通常現象　→ b 無　→（c 光）
（ハ）認識の変容　a 通常認識　→ b 無　→（c 絶対知、ヘーゲルのとは異なる）

上に並べたわたしたちの提示する弁証法図式（イ）（ロ）（ハ）は、同じ一つの弁証法の三つの側面を図示するものであり、（イ）は主体の側が、弁証法の運動によってどのようになるかをみたものであり、（ロ）は客体の側が、（ハ）は認識が、同様に弁証法によってどのようになるかをみたものである。

弁証法の運動はa→b→cと展開する。（イ）の主体がリードし一歩先行しながら、a、b、cはほぼ同時に並行する。このことはa、b、cが同一の境位にあることを表している。

aであるときはわたしたちの通常状態である。主体は自我であり、客体である世界は通常の現象界である四次元時空であり、認識は通常の認識である対象化認識である。

aからbへの動きが主体に生じるのが弁証法の始まりである。（イ）真理を求める弁証法の運動が主体に生じる。広義の日常的な我が疑念に付され、ついには自我が否定され、自ら棄却されるに至る。bの出現である。これによって、主体も自我もない、無に至る。このとき（ロ）の客体においても、（ハ）の認識においても、a→bへの変容が起こる。

（ロ）の客体では、客体がないということが起こる。これまで取り巻いていた事物がない、物がなく、何もない、無であるということが起こる。

（ハ）の通常認識はそれを成立させていた対象化認識がなく、無であり、闇となる。

真理を求める弁証法が遂行された結果、自我は消滅し無となり、そのことによって事物も無となり、対象化認識も成立しない、というところへと至る。わたしたちはこのことを後に詳しくみるのであるけれど、弁証法の貫徹によって、主体、自我が棄却されたとき、ひとは四次元時空の外へと零れ何もかもなくなる。自我が棄却され、ひとは身体も脳も四次元時空に残してその外へと超出する。だから四次元時空にあったものが何もかもなくなるのである。事物も観念も何もない、対象化認識も成立せず、闇である。

このように真理を求める弁証法が貫徹されたとき、一切が無となり、無以外に何ものもなくなった四次元時空の外に来たとき、初めて、弁証法の運動によって、合が顕れるのである。

それがcである。

その無が極まり、極まりの果て、やがて、光が差し込んでくる。弁証法の運動はここに到ってはじめて完成する。真理が光の下に開示されるということが起こるのである。

cは、無に射し入る光であり、光の場所である新たな次元の出現が顕《あらわ》となって、その新たな次元への進入を知らせる。そのとき失われた我（自己）では全くない我、真我が顕れ、それとともに光の中に照らし出されて、本質なるものの顕現としての絶対知（ヘーゲルのそれとは異なる）が顕現する、（ヘーゲルのそれとは異なる）このような次元変容であるというのが、わたしたちの述べたい弁証法である。これが現象と自我から始まった真理を求める運動としての弁証法の本来的な展開であり、無を経由した後、まさに光のただなかに真理が開示されることによってようやくにして弁証法が完了するのである。

わたしたちにおいて弁証法は真理を求めるこころの運動である。真なるものへの憧れ、真なるものへの探求、真なるものへの熱望なしにはおそらくはそれは起こらない。弁証法はこころが、自らを真理に向け真理を希求させ真理に接近させようとする運動である。

憧れ、熱望し、真なるものをこそ探求しようとするとき、真なるものとして憧れ、熱望し、探求されるものとして希求されるものは、第一に文字通りその真なるものであり、さらにそれを広義に言うところの至高なるもの、善なるもの、美なるものもまたその希求の対象となる。真なるものを求めて弁証法が働くのはしたがって、真なるもの、至高なるもの、善なるもの、美なるものの促《うなが》しによりそれらへと向けられる。

わたしたちの言う弁証法は思考の方法なぞではなく、思考に属していない。弁証法はまた、すでにみたとおり自我にも属していない。弁証法が思考や自我に属しているものなら、弁証法はこころを真理へと連れて行くことができようはずがない。弁証法はわたしたちのこころに働くからむろん時空にもあろうけれど、しかし時空に留まらず時空を超えるところからの働きである。

わたしたちはあらかじめ弁証法というものを知っているわけではなく、わたしたちが知るのはただ弁証法のなかで働く「秤」を知るのである。秤はこころの裡にかすかに微妙に現れてこころ自らを測定し判定し矛盾を突きつけ矛盾を正すようこころに求め、その求めにわたしたちのこころが応えるならそのときこころを弁証法の運動どおりに先導する。そのようにこころにおいて秤をもってなされる極めて微細でデリケートな運動をわたしたちはいま弁証法と呼んでいるということになろう。

弁証法も秤も微細でデリケートであり、こころが真理を求めようとしなければまったく働かず、こころがその働きを無視しようと思えばたちまち消え、感じようとしなければ何も感じない。こころに弁証法が働くのを覚えるとき、そのときはひとは真理を希求しているのであり、そのような時以外に弁証法の働きに気づくことはなくしたがってひとは弁証法に則ることもない。

弁証法は、その働きが完全であるなら、結果として自我を完全に否定するところまで導くであろう。こころが自己の矛盾に気付いて自らを否定するとき、おのずからな自己否定がなされるが、そこには、先導するものが現れ導くからである。わたしたちはその先導するものが思考や自我でないのはわかるがそれの何たるかを知らず、それをあえて言うなら「秤」と呼んでおくしかないであろう。弁証法の筋道は秤が判定し弁証法の運動に則って次のプロセスへと運ぶ。

では秤とは何であろう。秤は弁証法が真理へ向かって働き始めるとき、厳正に働く必然性として現れ、矛盾を許可せず矛盾の放置を許可しない。こころが弁証法に従うとき、矛盾が客体にあればその客体の矛盾が打破され新たな正しい客体の顕れとなり、次いでその新しい客体が新たに露になった正しい客体との均衡を求めて主体へ跳ね返って次には主体の矛盾を明らかにする。

そこでは主体である自己（自我）が厳正な秤によって測られ基準に基づくことを要請され、その要請に応じるならば修正され、ついには修正によってはもはや解決されないところにまで達すると、自己（自我）は否認される。

弁証法の進展は自我や自我に付いた思考や情念の恣意性、仮構性を見破る。主体の自己も客体も、弁証法が機能している限り秤は必然性に則って厳正であり秤によって測られ暴かれた矛盾は必然性の行使をもって自己も客体も次々に矛盾を打ち破られ否決され正される。

真理を知ろうとするなら、考えなければならないのではない。真理を知ろうとするには思考が必要なのではない。思考は不要である。しかし思考ばかりが不要なのではない、主観も、自我も不要である。なぜ思考が不要なのか、主観が真理の妨げになるのか、自我が真理の妨げになるのか。それは真理が人間の知ではないからである。真理は人間の認識ではなく、人間だけの認識ではなく、真理が存在者すべてのものの認識であるからである。真理はだからおのずから人間を超えた認識、天使や神々も同様にそれを真理と認めるもの、いやそればかりではない、目ある全てのものの認識であり、目さえないものの認識であり、万物の認識であるからである。それが真理であって、人間の思考力、人間の主観、人間の自我が真理には妨げになる。人間が主観－客観の裡にあるとき、人間が自我の下にあるとき、真理は開かれることがない。真理を求めるなら、ただ、思考力もなく、主観もなく、自我もなく、そのような人間となって、すなわち自己否定されて初めて真理の前に進む道が開ける。

秤において基準をなしているのは何か。清浄と純粋がそれである。清浄・純粋という秤の基準によって自我は順次浄化され純粋化され、ついには自我そのものが退けられるところまで行き着く。弁証法が自我によって行われることはないしそうであるなら必然性に基づく厳正な弁証法が完遂されることはないであろうし、また、弁証法が思惟や思弁によって行われると考えられているとしたらそれはまったく誤りであり、それでは思考なりの弁証法ができるのかもしれないが、思考以上のものが展開することはなく、思考が展開したとしてもそれはただ人間の有限な思考の展開に過ぎないのであって、そこでは必然性と権能をもった秤の厳正な否定性が本当に働くことは決してない。

弁証法をひとが思考の具にしてしまうとき、そこで本来の弁証法は中断され真理への道は中断される。なぜなら思考はむしろ自己や自我に付いているものであり、思考には権能がなく自己や自我の矛盾を完全には否定することができないし矛盾の解消のためにする必然性を貫徹することができない。しかし本来の弁証法では秤は自己や自我に属してはおらず自己や自我を超え出たところにあるがゆえに権能をもち必然性を行使することができる。

秤が自己や自我や思考を超えていなければ、そうでなければ弁証法がひとを真理まで運ぶことができるわけがない。純粋・清浄が秤の基準として行使されてはじめて、自己の浄化が行われ自己の純粋化が行われ、そうしてはじめて自己も自我も否定へと運ばれ、弁証法の厳正な遂行によって最終地点である普遍性まで到達できるのである。

真理をもとめる弁証法が厳正に必然のプロセスとして展開されるなら、無が顕になるのであるが、その無の前に最も大きく最後まで立ちはだかるもの、その最後のものとしてそれまで自己としてあったもの、それを失うなら自己自身を失うものとして最後の最後まであって抵抗するその自己を、ここに到ってひとは秤によって測り必然性のプロセスに委ね切らねばならない。否定されようとしている自己、それはわたしたちが自ら自己と看做してきたものの総体であり、いままでいつも当たり前に自己として意識に現前してきたものであり、その先鋒が自我といわれてきたものである。

真理を求める弁証法の必然のプロセスにおいて、自我である自己は、秤の先導により身を犠牲にしてもいいとする熱誠と至純をもって退けられる。とりわけ熱誠。その熱誠の上にさらに熱誠を積み、積み増した熱誠が則を超え、丈を超えたと気づきながら突き進む、限度を踏み越えたとわかりながら、踏み越えられないものを踏み越えたとどこかで知りながら。

自己否定は秤により先導され、矛盾を教えられ、否定せざるをえない自己に突き当たり自己を否定する。しかしそれでは自己否定は秤の先導と教導に因るにせよ、強制させられるのであろうか。そこには何がしかの強制の要素が含まれているのか。弁証法的自己否定がこころの懊悩を持たないわけではないけれど、いや懊悩も葛藤も苦悩も迎えつつ、自己否定には何ら強制の要素はなく、懊悩の最中、他によって強制させられる要素は微塵もなくすべては自らが決断し選択してなされることである。

それができるのは、秤が先導する先に真理という圧倒的な価値が希求されそのための自己否定であるという予感に満ち満ちているからに他ならない。その圧倒的な真理という価値のためならば、懊悩も葛藤も苦悩も引き受けられ、先導に委ねて自己否定を敢行できるのである。自己否定とは、否定の決断を自ら敢行できるほどに先なる価値に熱誠が集注され熱誠が注ぎ込まれることである。

弁証法として働くこころとは、対象を超えでようとして動く烈しい想いだ。対象の先に遥かなもの、より高いものが予感され、想われ、いまにも見て取れるかに熱望され、そのように見て取れるかに思えると痛切な喜びを感じ、憧れが募ってそれはまた熱情になりその対象の先を求め見通そうと渇望する。

対象を超えるとは、対象がもつ価値よりもその先に一層の価値を見、対象の持つ事物の価値よりもその先に一層の価値を見、世界の先に一層の価値を見ること、そのことが意欲するものに対象の事物を乗り越えたいと思わせ、対象のひと、自然、太陽、世界を乗り越えたいと思わせる。しかしその乗り越えは主体自らをも乗り越えさせることである。なぜなら客体は主体に釣り合って存在していたのであり、客体が乗り越え終えられるとき主体は自らも否定され乗り越えられねばならないのである。

無

自我は廃棄されてない。――自我の廃棄に伴って、対象化認識である主観－客観が崩れ、それはまた主体－客体の崩れであった。と同時にそれは物質の崩れへと発展したのであった。物質の崩れはそして時間－空間の崩れとなった。

自我は物質と繫がっており、物質は時間空間と繫がっている。

不意に、景色が変じていく。景色が、見慣れたものを消していく。

見慣れたものが薄らいで、景色が変容する。あたりが暗がりゆき、対象物がよく見えない。見慣れたものが見えない。驚天動地。何も見えず、認識が喪失した。悲劇が起こった。何もかもがない。同時に足元が崩れ、自身の足場が崩れ、大地が、地盤が抜けた。無、あたり全てが無。自分も、自己も思考も主体も無。あるべき世界も懐かしい家郷世界も、何もない。地盤も土台も、底が抜けてない。

我が無となり、事象が無となる。主体の側の我が現に消え、客体の側の事象が現に消える。我が現に、現実になくなるのであり、事象が現に、現実になくなるのである。こころが真理を求めて弁証法としての運動を敢行するとき、それが断固として貫徹されるとき、我は否定され尽くし、事象は否定され尽くす。そこには何もなく、我も事象も何ものもなく、人間が依拠しうるものは何もなく、ないということ、何物もなく、無の底さえもない、無底であり、無底の無だけが露になる。

わたしたちが言う弁証法の無は主観ではない。人間主観であることが否定され、その無は心理的な無であることも観念的な無であることも想像的な無であることもとうに突き抜け、その無は心理現象や心内現象や思考現象なぞではない、なぜならそれらの主観が否定されてなくそれらの主体が否定されてなく、我が否定されてない以上もはやそのような無ではなく現に主観、主体、我がなく、現実の主観自体、主体自体、我自体がないという無である。

同様にわたしたちが言う弁証法の無は客観ではない。人間の言ってきた客観が否定され客観として無があるのではない。その無は主観－客観の構図において知っている無ではない。その無は対象化認識の中に出現する無ではない。対象化認識において無が出てくるのではなく、なんら対象像がない無である。その無は観念において摑む無ではなく、概念において知る無ではなく、想像やヴィジョンにおいて知る無ではない。観念や概念や想像やヴィジョンを起こす主体がなく、その主体や主観がないのだからない無である。その無は主観－客観が崩壊しその外に顕れた無でありその無は対象化認識が崩壊しその外に顕れた無であり、いやそれどころか、その無は主観－客観がない、対象化認識の構造さえない、という形で現れしかも何物もない、現に、現実に何ものもない、ただただそのような、露になった無の現実なのである。

わたしたちが言う弁証法のこの無は人間の通常の認識能力である対象化認識を超え、人間の我を超え、事物を超えて、その超えた先にただある無である。

対象化認識を超えるとき主観－客観を超えることは先に見た。対象化認識を超え主観客観を超えるとき我を超えることは先に見た。対象化認識を超え主観－客観を超え我を超えるとき、時間－空間を超えることとは先に見た。無は四次元時空を超えたから現れたのである。

この無は、時空を超えたがゆえにある無であり、四次元時空を超えた証の無である。真理を求める弁証法とは、四次元時空を超えて何ものもないという無に連れ出し、時空を超えさせ、しかる後に真理の開示へと至らせる法である。真理を求める弁証法はひとをかかる境位へと連れ出さずにはおかない。

無となったとき四次元時空の身体はどのようになっているのであろうか。自我、主観、主体が放擲され、自我、主観、主体が無となりそれに伴って客観が無となり対象が消え、それのみか、物理的根拠が喪われるとき、四次元時空の現象界は客観が消え、無となっている。しかしよく見ると、客観が見えなくなった、意識の内からなくなった、というのが事実である。なぜなら自我が消えたとき無我となるけれど、この自我が消え無我となるときの境位の転換は極度の革新であり、客観がなくなる、対象が消える、ということは自我が消えることとの極度の革新によってもはや意識が客体に行っておらず、自我の消滅という一大急迫事にすべて焦点が合わされて見えなくなっている、それが何もない、無として理解されているということでもある。身体は残っていないわけではない。身体も四次元時空も残っていないわけではない。ただ、四次元時空の現象界は意識の外であり、ひたすらな暗闇としてあるばかりである。

身体は四次元時空の現象界に残して、受動態としての意識は、四次元時空の物理的世界を喪っているということである。繰り返すが、身体は四次元時空の現象界にあるらしいのだけれど、意識はもう四次元時空の物理的な世界になく、その物理的な次元を喪失し、無の中に投げ出されてある、ということである。

自我、主体、主観が崩壊し対象認識が崩壊し、成立させていた対象物、客体、客観も崩壊する。一切無である。しかし不思議な驚きがわたしたちに残る。無となったという意識がありその無の出現に驚く意識に伴う受動的判断がある。いったいなにもかもが消えなにもかもが無となったとき、しかし消えずに残留してそれを見る意識なぞあるのか。全てが消滅したという中でにもかかわらずそれを観る意識がある、一切が無となるのであれば、それを観る意識もなぜ無とならないのか。

自我が否定されることはそのまま自己の否定であったはずで、その自我が否定されたとき自己は無となっていくのを覚えつつ、連なる客体の光景がその自我の無に連れて崩れ去り、物質が消えていくのをまのあたりする。無へと、自己も客体も崩れ去っていくのをまのあたりする。この意識の状況のなかで、もちろんわたしの身体に見かけ上変化が起きたわけではない。ただわたしの意識はいま意識が体験していることに極度に集注し、その意識が見る光景に集注し切っている。真っ暗な闇である。真っ暗な無へと落ち込んでいく。我は無だ、眼前も無の闇だ、という意識である。戦《おのの》く意識。

この無を見る意識、いやそればかりか自我を否定しそれは自己の否定に他ならなかったのであるが、その否定されて何もなくなった無なる自己、この無なる自己とは一体何か。その無のただなかにあるとき、そのことは全く判らず、あまりの暗闇に戦くばかりだ。

真理は、世界が無となるところ、わたしが無となるところからようやく、はじめて始動し始める。真理は、世界が無となるところから、わたしが無となるところからしか始動しない。時空を超えた無、対象化認識を超えた無、主観－客観を超えた無に到ってようやく、その無のただなかから、その無からしか、その無が反転して、光なる真理が顕現するということが起こらない。

いまわたしたちが語った主観も客観も消え、主観−客観構造も消える無と、他の無、そのなかで現代物理学において現れる無の問題と引き比べてそれらはどのようにみられるべきなのであろうかが調べられねばならないであろう。

わたしたちの道程において全てが無となるということ、なぜならそれは、主観−客観やその構造が消え、無となるというそのことだけに留まるものではなく、物質も時間も空間もみな無であり、わたしたち自身も無であるということである。このような現実上の無をわたしたちが見出すとすればそれはどこに見出すことができるであろうか。

現実上の無、それを探すなら、物理学における無が較べられるものとしてあるはずであろう。物理学が物質の究極の姿を求めていくとき、場の量子論においても、それと密接した素粒子論においてもまずは真空を語らねばならず、真空がひとまず無として取り上げられるのであるが、真空はまだ真の意味で無ではない。そこは瞬時にして粒子・反粒子が生成し瞬時にして粒子・反粒子が消滅する仮想粒子の生滅する場所であり、そのような意味においては真空はまだ無ではない。

そこはわたしたちのいう生成場（後に見る）と時空の間にある境界領域であると思われ、生成場から生まれて送り出された場や素粒子の初発の姿が見える場所であると考えられる。10^{-33} ㎝のプランクスケールへと近づくなら、そのような物質の起源だけではなく時間−空間の起源として、その時間−空間の沸き返りもみえるかもしれない場所が現れて来るのである。

物理学的に真に無の場所とは、いかなる意味においても物理的な量がない、もはや物理法則の成立しないところであり、かつそこはまた、時間－空間もないところであろう。そこを物理学は領域外というかもしれず、無規定でありさらに言えば無定義であるというかもしれない。わたしたちが言う無は、物理的にもはやなんら量のない場所を言うのであり、かつ、時間－空間のない場所を言う。物理的に量を示す何ものもなくゼロを表示するところこそ、時空を超え、境界領域を超えてある完全に無なる場所なのであり、物理学においてそこを無定義であるゆえに物理の領域外というなら、そここそがわたしたちのいう無と同一のところであるというべきである。

わたしたちの無は現実上の無であり、その無は心理や概念や観念や想像や幻想とはまったく異なって、物理的な現実性を持つけれど、しかしその無は物理学においてよく捉え切らない物理学の境界で初めて現れる無でもある。このことは後にまた見ることにしよう。

現代物理学において無はただ真空の無だけであるとして済ませることができるであろうか。物理学の領域外である物理学的な無についても無視し得ないところとなってくるに違いない。なぜなら、次のような物理学の諸理論は少しずつかもしれないが、わたしたちのいうところの完全な無に接しつつある、そう思えるところを多分に持っているからである。

はじめ、意識の主体である自我も現象もまったく真理から覆い隠されていた。しかし否定の力、真理を求めて矛盾を否定し去る弁証法の運動の進展によって、どちらもそのうわべの相、偽りの相が徹底的に否決され剝ぎ取られそのことによって、我は無の中に投げ出され事物は消滅する。投げ出された無は我も事物も同じく無であり同じ一つの無であり、無なる場所でありすなわちそこは時空の外であり物理的な無の場所である。

それまでは覆いによって意識の主体である自我が自らを時空の中に守っていたことが判明する。自我が否定され覆いが剝ぎ取られ時空が突き抜けられれば、ただただ無のなかに、物理学的にも無なる場所に投げ出されてあることが明瞭になるのだ。そして弁証法が最後の完了を遂行する。非物質的認識能力は無のまったき転回によって顕れ出る光を浴びるのであり、永遠なる光を見るところに達するのだ。

真理を見る原理

真理は直知という方法によって観ることができる。直知によってひとは時間空間を超え出ることができるが、なぜそのようなことができるのかを量子論によって説明しよう。なぜ量子論によって説明できるのかといえば、直知だけでなく、実は量子論も時間と空間を超えた場所を論じているからである。

真理を求める認識においてひとに直知が達成されるとき、そこでは時間空間が突破され超出することができ、非局在性の波の、距離と経過のない場に達する。その場こそわたしたちが生成場と呼ぶ万物の生じる起源の場であるが、それについては後述しよう。

その波について、電子など素粒子が生まれる量子場に起こる波であり、量子場から生まれるエネルギーの波が起こす塊であるという。わたしたちはその量子場に隣接して生成場という、すべてのものを生じさせる場である生成場があって、そこに万物誕生の源を見るのである。

量子論が言う、電子は粒子であって、波であるという事象を思い起こそう。電子は、観測すると粒子であるが、観測するまでは波であるというそれである。わたしたちの意識も、その電子なのだと考えてみるがいい。観測するとは、意識が時間と空間内にあるということである。この時意識は時間と空間を特定できる場所にある。しかし一方意識は波であり、時空の裡にはなく時空の中に出てくる時空以前の場所にあって、波として広がり存在するもの一切と繫がっているのである。時空ではない、時空以前の、永遠の流れ込む、不変の場所に波として意識はあるのだ。すなわち量子論が示す通り観測という時空に出てくることによって、わたしたちはあたかも時空存在の存在者となるけれど、時空に出てくる前の状態に行くことができるものにとっては、自らも時空存在ではないものであるとともに、あらゆるものが時空存在ではない、それ以前の相をして存在しているということをまざまざとみるのである。

普通ひとは粒子の状態である。そう思い込んでいる。普通ひとは粒子の状態でしかものを見ない。自分も粒子の状態であることしか知らないし、その他の者や自然や宇宙が粒子の状態であるところしか見ない。しかしそうではない、量子論が示す通り、万物はその極微のレベルでは波なのであり、時空以前の場所にあって拡がって、他の波である事物と響きあい繫がりあっているのである。

わたしたちは直知の哲学としての真理論を述べる。わたしたちの直知の哲学においては、非－時空ならびに永遠のあるところを生成場次元と呼んでいる。わたしたちの直知の哲学の視点からみるならば、生成場次元は、物理学の言う量子場に隣り合っており、量子場を通じて時空に混入することなく存在している。

真理の照明

真理を確証するもの

真理とはおよそありとあらゆる存在をしらべているその原理を真理という。

そこには人間だけに通じればよいというものは何もない、全存在者に通じなければ真理とは言わない。無論われわれ人間は他の存在者のことはよくわからない。しかし真理はそんな人間の思惑なぞ関係なく全存在者に通じる原理を見せないではおかないのだ。

光を浴びたものは一切を知る。一切を悟る。

全天を揺るがす声が、これが真理だ！　と轟くがごとく響き渡ったからである。疑いようもない絶対知が押し寄せて圧倒する。光に包まれ確信なぞというものをとうに超えた信にひれ伏し、知るのである。漠然とした要素は微塵もない、真理の光景が豁然として光に照り出て輝いている。

光

おおいなる光が降り注いでいながらわたしたちには見えない。絶え間なく降り注ぐ光を、わたしたちは見ない。おおいなる光がわたしたちを包みその光がわたしたちの社会を包みわたしたちの自然を包みわたしたちの宇宙を包んでいながら、わたしたちにはその光を見ることができない。

わたしたちはおおいなる光、その時空を超えたもののそばにあり、それればかりかわたしたち自身の一部もその時空を超えたものと繋がるものでありながら、わたしたちはそのことを知らない。

なぜそれが見えないのかといえば、わたしたちは卑近なものばかりを愛しすぎたのだ。あたかも卑近の呪縛に捕り絡められているかのように。愛でさえわたしたちにとっては卑近なものでしかない、恋人たちの佇《たたず》まいがどんなに悲愁を湛えてみえようとも二人が卑近を越えることはない。

まして他のものごとがどれほど卑近であることか。自分自身を愛し自分の欲望を愛し快楽を愛し金を愛し利益を愛してきたのだ。普遍の光が降り注いでいてもその光が見えようはずがない。

自然の光と普遍の光

わたしたちは光といえば太陽の光、月の光、星の光、火の光、電気の光を思い起こすであろう。あるいは紫外線などの目に見えない不可視光線をさらに加えるひともあるであろう。しかし実はもう一つ別種の光がある。最初にあげた太陽や月、火、電気、紫外線等の光は皆物理的な光であり、電磁波の光であるが、もう一つの別種の光は物理の光ではなく電磁波ではない。自然の光や電気の光等が光子という無数の素粒子が行列を作って行進するさまが光の現象として現れるのにたいし、物理的でなく電磁波でないもう一つの光は光子ではなく素粒子ではなく物質ではない。

そのもう一つの光もまた現に光として顕れ、輝きわたる。その光は意味であり、価値であり、働きであり、普遍の光、至福の光と呼ばれ、荘厳な光として顕現する。

別の光がある場所

現代物理学のループ量子重力理論では、10^{-33}㎝という極微のスケールで見るならば、時間も空間も連続的ではなく飛び飛びの格子状で、格子の孔の向こうは物理量のない無であるとの仮説を提示している。わたしたちの時空宇宙のここかしこに、物理的に無である極微の孔が無数に空いているという。このいたるところに空いた、物質がないがゆえに清浄で、時間と空間の有限性を超え出ている場所――。そここそしかし、永遠の光、真如の光、荘厳の光の射し染めているところなのである。

真理が存在することの神秘

①わたしが生きることとは何か、世界とは何か、人間にとってのこの二つの最大の問いに対し、それにすべて答える真理というものがあることの神秘。なぜこのような神秘があるのだろう。
②もし人間の生が偶然のものであり世界が偶然のものであるなら、光をもって照明されその二つのことこそが解答されるそのような真理というものがあることはないであろう。
仮に真理を名乗るものがあったとしてもそれはその二つの問いに全的に完全に解答される真理ではなく不完全で、一面的で、途中的な解答しか出せないはずであり、そのようなものの例の一つが

科学の真理なぞであるだろう。科学の真理というものはどこまで行っても途中的で常に新しい解が追加され流布可能なものである。しかしそのようなものではない、完全な真理が存在する。

③その真理は、ひとが一定の範囲をあらかじめ設けてそれに学問の名を冠した学問的な真理とはまったく異なる。科学も学問的な真理の一つである。しかし真理とは人間があらかじめ一定の範囲を設けることなぞできる次元にはない。

④人間の限界、範囲、次元を超えた解としての真理がありその真理だけが人間が生きることとは何か、世界があるとは何かに答えることができ、そのような真理があることの神秘とは何であろうか。われわれの誕生、世界の存在が偶然のものではない、必然のものであるということにそれは他ならない。

第五章　直知がみるところ

見えなかったものが見えてくるとき、世界も自己も再提示される。対象化認識による四次元時空は、直知によって、見えない世界を含めたトータルな世界の一部となる。トータルな世界、トータルな自己が現れ出る。

トータルとしての世界、トータルとしての人間

現代の科学は、世界（宇宙）にせよ人間にせよ、トータルとしてのそれらの姿を明らかにすることができない。わたしたちがすでに示してきたごとく、現代の科学は四次元時空という場に現れる世界と人間しか捉えることができないからである。しかし世界も人間も隠れた時空ではない次元の姿を持ちその活動を示している。わたしたちが示そうとするのはその全体である。

今日の学問は対象化認識の素朴な知覚とその素朴な知覚である脳神経系、その脳神経系に合わせた自我ならびに分析的理性に依拠している。しかしそのような自我や分析的理性は、三次元の空間と一次元の時間内しか見ることができず知ることができないため、非時空や永遠といった世界を除外するしかない。すなわち現代の学問は時空内しか論じることができず、現実の世界にも現実の自己にも迫ることができない。

存在と無

存在と無はどのように考えようとも明らかに正反対の概念である。このような存在と無を規定するものは何か。この二つの語は今日、現象界である四次元時空、すなわち通常ひとが対象化認識を行うところでは質量の有無をもって規定されている。質量は物質ならびにエネルギーを算定できるものとされており、その質量を有するものが存在し、有しないものが存在しないすなわち無であるとされているのである。物理学を基礎に据える科学の認識ならびにその科学の認識を敷衍する現代の学問ではおおむねそのように考えられている。

しかし哲学史においては決してそのようではなく、存在と無は最も抽象的で最も貧しい規定であるとともに最も抽象的ではなく最も豊かな規定である。なぜなら、古代以来神を論じるとき、神は質量をもって計ることのできない最たる、それも無限のものであったからである。計ることができる時空の次元を超えたところこそ、無と存在とが認識可能となってくるところだからであり、無限として存在しかつ最も物質的でないものとして無であるものだからである。古代の、哲学の原初においてパルメニデスが存在と無について語っているのも時空を超えた次元におけるところのそれらについてである。このパルメニデス哲学の伝統は近現代においてはヘーゲル、ハイデガーへと引き継がれてきている。

存在、無、始まり

存在と無の問題は、その文明がどの認識次元から発現するかによって規定を異にする。現代文明は、存在と無は時空の範囲内で規定され、ともに最も抽象的で最も貧しい規定であって、物質の存在が存在であり、物質が存在しないのが無である。このような認識においては無からは無しか生ぜず物質からは物質しか生じない。しかも物質から物質の発生においてはエネルギー保存則（熱力学の第二法則）に則った発生がある。

この物理学を基礎とする今日の学問において、始原——始まり——を明らかにするのは易しくない。現代物理学において、時間や物質（素粒子）にも始まりがあったとされるが、それらはその始原自体はわからず、始原の直後、つまり時間の誕生直後と素粒子誕生直後、あるいは宇宙のインフレーション膨張の直後から、始まるのである。しかし現代物理学の量子論は、この始まりの問題、あるいは存在と無の問題への入り口について重要な材料を提供しており、それが非局在性であり、不確定性原理である。

生成

存在は存在、無は無。無から存在は生まれず存在から無は生まれないというのが現代文明の認識を形成して来たが、これは古典物理学の立場でもある。四次元時空しかないという立場であればその通りとなるであろう。しかしわたしたちの提議は四次元時空だけではなくその時空の次元を超えた次元もまたあるとするとき、無と存在とは関係深いものとなるのである。

規定

「すべての規定は否定である」（スピノザ）

規定とは生成場においては分節されていない本質価値が時空に現れるにあたってその本質価値を破って分節されることであり、そのようにして時空の存在になることである。本質価値は生成場において生成されながら時空へと送り出されるのであるが本質価値を破るという否定の働きによって時空においては分節すなわち規定されるのである。

限界

本質価値が生成場からその本質価値を自ら否定し、本質価値の破れとして時空に来ることによって、それは有限なものとして時空にあることができるものとなる。時空にあるものはこのようにしてそれ自体が限界に貫かれる。

生成場次元

生成場次元は時間－空間ではないという意味において非－時空であり、既にそれによって通常の時空の次元ではないのであり、さらに加えてそこには永遠の光が流れ入って来ることによって、ただの非－時空ではなくなっている。非－時空に永遠の作用が加わり、非－時空次元という以上の次元を現出させているというのが生成場次元の特徴であり、その意味では非時空次元はそれ自体としては単に一つの非時空次元であるが、それはまた次元というものを数量として表現できない永遠と無限とに接触することができる次元である。

生成場次元は時空とは違う次元である。

この次元は、四次元時空とは別の新たな次元であるが、そもそも次元というものの性格を異にするのである。もしそうでないなら四次元時空の系列に新たなものを加えればいいが、別種の次元なのであり、質が変わるのである。高い、低い、深い、浅いという用語をここに使う場合けして空間的に言うのではなく、高貴な、あるいはより高貴性が低いという意味であり、深遠な、より深遠でないという意味である。生成場次元は霊と神性がある次元といえばわかりやすいであろう。物質、エネルギー、時間空間はここから生み出されるが、ここに所属することができるわけではない。本質価値はここから来るものである。そして霊体はここに帰源することができる。

四次元時空に併せて、非時空の生成場次元がある。ひとが本質直知をするなら生成場次元の活動を知ることができるであろう。生成場次元では、本質世界が展開し永遠のものである本質価値を生成場にもたらし、生成場における生成を本質価値の破れとして表出しているということ。その生成場の表出が四次元時空ならびに物質を創造しているということ。現象世界はかくして四次元時空と物質によって動いていると見えるが、しかし生成場の破れとして本質世界が展開していることは見えないながら事実である。

宇宙の営みと、いのち、我

宇宙は四次元時空だけでなく、時空を超えた非時空の領域を持っており、非時空の次元にはさらに永遠が流れ込む生成場次元という次元がある。宇宙は四次元時空にあるけれど、また併せて非時空次元がありさらに生成場次元もまたある。宇宙とその存在者は、四次元時空にあるけれど、またあわせて非時空にありさらに生成場次元にもある。人間は脳、ニューロン、身体として四次元時空にあるけれどまたあわせて、霊体我として非時空にありあるいは生成場にもある。

これまで科学は、人間を脳、ニューロン、身体として捉え、それによって人間の全体を捉えられるとしてきたのであるけれど、いのち、こころといったものについては成功しているとは言えない。なぜ成功しないのか。その根本的な理由は、それが四次元時空にはないからなのである。

生成場　詳論

無が極まったときそれは無が完了したときであり、そのとき完了し終えた無が反転し、それこそ全的に反転して、扉が開き、眩いばかりに壮麗な輝きを帯びた光の次元へとわたしたちは入ったのである。

四次元時空ではない、四次元時空には絶えてない、通常の時間－空間には絶えてない、かつて経験しない時空とは別の、不思議な非時空の次元。

神秘の光が永遠を伴って注ぎ込んでいるその全く新しい次元の世界へと踏み入った。わたしたちが生成場次元と呼ぶその光降り注ぐ場、壮麗な光の広がる場であり、その非時空の生成場次元が顕れ出たのである。

わたしたちが来たそこは、神性を帯びて輝く光が銀天のごとく落ち掛かり、あるいは光が翩翻と棚引き、あるいは光が覆い被さって雨と降るところ、すなわち生成場次元である。生成場次元は、四次元時空を突破し無に到りその無が完了し、その無の完了を待つがごとくに現れ出た非時空の次元であった。そこはかつて知っている四次元時空とは異なったところ、時空とはいえない非時空であり、しかも時空とはいえない非時空というにとどまらない、神性な光が降り、注ぎ、湧く、瞠目すべき非時空の次元である。そこは見知った時間−空間とは異なり、時間の矢のない生成場、隔たりの距離のない、いまだ見知らない次元である。しかしそれに留まらない永遠と無限が上方より降りかかってありを領す明白に新たな別次元である。生成場がすでにして時間−空間と異なる非時空であり、その生成場には永遠の光、無限の光が注ぎ溢れる。過ぎ去る時間の矢がないというだけではない、隔たりの距離がないというだけではない、永遠と無限が聖なる光として流れ込んで来るところ、それが生成場次元なのである。

この生成場次元において、ひとは驚嘆のうちに真理を見、数々の知られざることを知る。この生成場に起こること、生成場においてなされていることは、ひとが時空を出て自らを差し入れ自らの境位を変えて経験することにおいてのみよく知ることができよく見ることができるのであり、生成場の活きて働くことを自ら受肉することによってはじめて知ることができることである。

生成場に顕現する真理は知識や概念による伝達にもっとも適さない。それは言い表しえないもの伝えられないものを言い伝えるに類し、伝えようとすれど、言おうとすれど、試行以上の試みは難しい。

生成場では流れ込む光に包まれ織り成されたわたしたちの住む四次元時空の、驚くほどに新鮮・生彩で、初々しく、美しく、かつ力強い初発の姿があらためて顕となり、また、わたしたちが本質世界と名づけた永遠なるものの光の源の在りかもまた見える。本質世界はまばゆいばかりの荘厳な光輝として生成場の更なる開示により登場し顕現するところである。その本質世界が展開し、永遠、普遍、絶対である本質価値が光に乗って降り注ぐのである。さらにそこ生成場より、本質価値が転轍されて発出し、イデアルなもの、時間、空間、物質、エネルギーが現象界にもたらされるのも知ることができる。

そして、わたしたち自身。わたしたちは四次元時空の現象界にあっては通常決してわたしたち自身、自己の何たるかを知ることができない。そこではわたしたち自身の本姿は隠れ覆われて自分自身でありながら、直接自分自身であるにもかかわらずよく知ることができなかった。わたしたちは生成場に来て初めて、自分が、自我でも主体でも主観でもなく、四次元時空に残した身体でも脳でもなく、無我を通過して後に現れる自己、なんら物質性を持たない、純粋無雑な清浄なものである霊体我であると知るのである。

その光の中に、光に照らされたまま、もう一度本来の現象の相が再生する。そうして再生した時空は、光に照らされ、光の非時空に包まれたごとき時空が再生時空として提示されるのである。この構造は後に示そう。

永遠なる光を浴びる時間と空間として、照らされてある現象世界と真の我が、ともにあらためて示されるのである。そこには主体も客体もなく、主観も客観もなく、対象がないというのではなくてもそれらは直知され、時空がないのではないけれど時空だけではなく非時空でもありまた永遠が流れ込んで、時空に混入することなく時空と存在者が照らし出され包まれている。もはやそこは、時空の中だけの存在ではなく、時空の中にもありながら、生成場の光を浴びてもいる存在者として、わたしたちも宇宙もその両世界の存在者として示されるのである。

すなわち、ひとも世界も四次元時空にあるけれど、それればかりではない、ひとも世界も併せて生成場次元にもある。宇宙は四次元時空にあるけれど併せて四次元時空を超えた生成場次元にもある。存在者は四次元時空にあるけれど併せて時空を超えた生成場次元にもある。わたしたちは四次元時空の身体、脳、心理という生物的存在者であるけれど、同時にまた併せて非時空の霊体我である。存在するものはひとも他の存在者も、自然も、宇宙も、四次元時空の現象界にありながら、併せて生成場次元にあって、現象界は生成場次元に包まれ、現象界には生成場次元が、あたかも格子状の時空の隙間から混入することなく侵入するがごとく侵しており、したがって四次元時空の現象界もまた眼には見えず物理的測定によっては捉えることができないけれど、生成場次元に射し染める本質世界からの光に包まれており、わたしたちも他の存在者も自然も宇宙もまた、光に乗ってもたらされる本質価値の働きを受けて存在し、存在し続けていることを知るのである。

生成場次元と時空

生成場次元は時間ではなく空間ではないという意味において非–時空、生成場次元には物質がなく物理量ゼロという意味において無であるが、それは四次元時空の側から見る規定である。生成場次元はただ無の完了であるのではなく、生成場次元は無が完成した暁にその無に転回が起こるがごとく、有、存在の輝きにおいてある場として顕れ出る次元なのである。

そのような生成場次元はどこにあるのか。

生成場次元はわたしたちの四次元時空に隣接してあるに違いないとまず言えよう。ひとは四次元時空を突破し、無に突入し、その後、生成場次元に達したのである。そのときひとは自らを霊体我として発見した、すなわち四次元時空を超えてある霊体我の発見である。以降生成場を見るのは霊体我である。

四次元時空と生成場との間には無が介在したが、無が確かにありながら、その無が完全な無へと完成したとき、無が完了し同時に無が反転するようにして生成場次元が開かれたのであった。生成場次元は四次元時空の間に無を介在させつつ四次元時空と隣り合っていると言うべきなのであろう。では隣り合っているとはどのような意味であろうか。生成場次元は四次元時空の外側にあるのであろうか。

生成場次元は、四次元時空を包摂しかつ四次元時空の内に、それと混入することなく織り込まれてあると、わたしたちはそれを解している。

このような生成場次元と、それと四次元時空との関係が極微の世界においてあるとするなら、それはそのまま四次元時空の及ぶところ全てにそのような関係があるということであり、つまり時空を包み時空に織り込まれて生成場があるということであって、それはとりもなおさず、その関係がわたしたちの住んでいる宇宙全体にまで及んでいるということではないであろうか。わたしたちはこれまで宇宙を時間空間の中にあると考えてきたし宇宙にある全ての存在者はわたしたち自身も含めてすべて時間空間の中にあると考えてきた。しかし時間空間というものが極微のスケールで見るなら、生成場を織り込んでいるとしたなら、宇宙も、そこにある存在者も、わたしたち自身も時間空間の中だけにあるのではなく時間空間に織り込まれた生成場においてもあると考えなければならないであろう。

このような関係において、宇宙はいたるところ時空だけでなく生成場があり、換言するならば宇宙もそこに存在する存在者も人間も、時空と生成場の織物によって構成されていると見ることができるのである。宇宙のなかにあるものは皆時空と生成場によって構成されているということは、それらは時空と生成場との二つの場においてあるということであり、霊体我が生成場にあり身体が時空にあるという二重のあり方は、本来的な、当たり前なあり方なのである。

第六章　本質世界と本質価値

本質世界

本質価値の光に照らされ、生成場の全存在者、生成場に来た全存在者である霊体我、霊体は本質世界からの贈与を受けつつ呼応して響動する。それは言祝《ことほ》ぎである。それは天と聖なる地の祝祭である。人間がそれを目の当たりすることは少ないとはいえ、生成場に来る霊体、霊体我はみなその光景を知っておりまた自ら歓喜の中に響動するものとなっているのである。全天が響動しその響動はえもいえない一大諧調となっている。人間がそれを知らないとしても他の生きもの、他の存在者はどうなのであろうか。霊体我、霊体のみが知る贈与と言祝ぎは全霊体我、全霊体があたかも一つとなって言祝ぎ、満ち渡る光の中に、全霊体、全霊体が一大諧調をなして波打っている。その諧調の響きの中で、本質世界への呼応の響動はまた生成場、生成場を経由して現象界へと波打ち連動しすべてが共に在る共同の存在者として祝祭を祝いあっているのである。

霊体が生成場にある、あるいは生成場に来る、ということはそれが時間、空間を超えて非時空である、ということであるけれど、霊体我が永遠、絶対、一にして全の本質世界から来る本質価値を浴びるとき、霊体我、霊体はまたそれがそれぞれ個別であるとしてもただ個別であるというに留まらない個別性を超えたものをもつということを知るのである。霊体我は他の霊体我、他の霊体と繫がっているという悟りを得る。その繫がりは自己というものが単に自己という孤立したものではなく繫がってあるものであるという、そのような悟りである。なにより第一には本質世界との繫がりである。その本質世界の下にあってはじめて霊体我であるという悟りである。そして次いで第二に、その本質世界の下に在る自己である霊体我は、他の存在の霊体我、霊体とも繫がっているという悟りである。自己である霊体我は本質世界の下にあって本質世界とのつながりを持ち本質世界の下にあって他の霊体我、霊体と繫がりを持ち、そのように繫がりを持ったあり方においてはじめて霊体我、霊体であるという悟りである。すなわち霊体我は、ただ単独な自己の霊体我というものではなく、ただ単独な個体である霊体我というのでは、正しい在り方としてない、という悟りである。

ここにいう悟りとは繫がった響動として光のなかに顕れ出る真理の認識である。真理は真我が世界と繫がり本質と繫がった響動する全体の一であり、一は本質世界と繫がり世界と繫がった全体である。真我だけが単独に世界から切り離されて顕れ出ることはなく、真我は、始めて顕れた世界の響動において真我自身もその響動に連なって響動している我である。本質世界は生成場を通じて世界と存在者に本質価値をもたらして響動する。本質世界は生成場を介し宇宙と響動し、超銀河団と、銀河団と、銀河や星と、山河と、生命と響動する全体を見せ、それを真理として悟らせるのである。

本質価値が贈与であり働きである以上、そこにはそれをエネルギーの側面から捉える捉え方があってしかるべきであろう。

エネルギーとして知られているのは物理学的エネルギーであり、電気エネルギー、熱エネルギー、力学的エネルギー、位置エネルギーなどであるけれど、今ここで本質世界にエネルギーを見るとしても、それはそれら物理学的エネルギーとは全く異なりそれら物理学的エネルギー以前の、物理学的エネルギーを含めたその他一切に働きその働きを働かせる根源的エネルギーである。

本質世界はその本質価値の贈与をもってまず生成場に働き、生成場自体の絶えざる活性を助けるとともに生成場の存在者の存在を扶助する（生成場の存在者についてはわたしたちはよく知っているわけではないのでここでは言及しない）。次いで、本質世界は、現象界に働きかけるために生成場に本質価値を贈る。現象界に向けた本質価値が生成場にまず贈られるのは、絶対、永遠であるそれらがそのままでは四次元時空の現象界にもたらされることができないためであり、生成場に贈られた本質価値は次の二つの方法をもって働く。

その一つが本質価値の転轍であり、もう一つが霊体我、霊体、準霊体への働きである。第一の、生成場における本質価値の転轍とは、本質価値を生成場において現象界の次元のものへと変えて送り出す転轍を行うためで、いわゆる世界製作と呼ばれる。生成場は、本質世界の本質価値を現象界向けのものへと転轍する一大製作工場、世界製作者としての働きをなす場ともなる。本質価値の永遠無限を時間空間に変え、物質を造り、エネルギーを造る。

他の一つが、霊体我、人間以外の霊体、準霊体への働きである。それら霊体我、霊体、準霊体は時空に存在しておらず（多くは生成場と時空の境界に存在すると考えられる）、本質価値をあらかじめ受容できる存在であり、本質価値はそれらに対して転轍なしに直接働くことができる。霊体我と生命あるものの霊体の二つながらは物質の起源に少しさかのぼって誕生していると考えたほうが至当であろう。つまり幾分か多く分有論に近づく。

本質世界は生成場を経由して本質価値を働かせながら、この二つの方法によって四次元時空の現象界である宇宙やその存在事物、生物、人間の起源と成育に定常的に深く関与しているのでありまた現に関与し続けている。

本質価値、霊体我、こころ

本質世界が直接働くのは霊体我、霊体、準霊体に対してである。霊体我についてみるなら、本質世界は本質価値を持って直接働くと考えられるが、生命、肉体に対しては霊体我を通じて働くとともに、それだけではなく、わたしたちには知られない働きをしていると考えられるであろう。なぜなら、物質も生物的生命も本質世界によって生み出されもたらされたものでありそうであるからには本質世界の意志の下に何らかの方法をもって本質価値を働かせていると考える方が自然だからである。

本質価値がつねに霊体我に働いていて、ひとのこころに霊体我という真の自己を求め続けさせている。それはまた、本質世界を求めることでもある。このことが人間のもっとも深い営みとなってその活動を促す。

このことが現れるのは、生命、意識、価値を問題にしようとするときである。生命、意識、価値は決して物質によって十分説明できないからであり、その原因をいずれは科学が発見するといった類のものではないからである。

つまり、もともと四次元時空、物質の誕生の経緯を知れば明らかなことであるが、それらは生成場次元における本質価値としてもたらされたものであるからである。つまり四次元時空も、物質も、元々は生成場の本質価値である。そして、生成場の本質価値としてもたらされたものには、それらだけではなく、生命、意識、価値が、他にあったのである。生命、意識、価値は四次元時空の物質によって誕生したのではなく、生成場の本質価値から、その破れとして誕生したのである。したがって、決して物質によってそれらが生み出されているわけではないからである。

本質世界　詳論

光が来るところ、永遠の光が発信されるところはどこかといえば、それは本質世界からであると、先にわたしたちはそう述べた。霊体我が、降り注ぐ光を手繰って仰ぎ見るとき――霊体我が仰ぎ見るのは空間の高みというよりは、それは聖性を秤とした高みである――、その高み遥かに霊体我が見出すのは、荘厳な光の圧倒する光輝であり、荘厳な光の余りの眩さである。その眩《まぶし》さにくらまされその眩さに圧伏されてそれが何か、何を見たのか、何が起こったのか当初理解できないまま、そのとき霊体我はまたしても法悦に襲われる。光の源、本質世界は、荘厳な光の放列、放たれる神聖の極まりであり、その極まる眩さが霊体我を圧して確かにそれを見ながら、何を見たのか、何が起こったたか、ひと時、記憶は奪われる。

光輝の本源である本質世界は、生成場のなかの上方に、霊体我のさらなる上昇によって顕れたのかもしれない。霊体我が仰ぎ見た高み、その高みは生成場の非時空の無碍の広がりを上昇し、おそらくは聖性を秤とする秤の高次に顕れたものと思われ、そこは次元の用語をもってしては測れない、次元の用語の適用しない神性の度をもってのみ見られるところと思われる。

本質世界は神性の光の源として、荘厳の光の発信源として顕れ、かつ、本質世界は永遠不滅、神性の最高の高みとして顕れる。それはいかなる相対をも超絶しており、すなわち絶対である。本質世界は証示する、永遠なるものは本質世界より他になく、それゆえ本質世界は絶対であり、永遠、絶対であるものは本質世界より他になく、それゆえに本質世界は一にして全である、と。

永遠や絶対や一にして全というそれらは概念のように見えるけれど、そして通常はそれらは概念としてしかひとに知られないけれど、それらは生成場においては概念でない。生成場において起ることが概念であることはない。先に永遠について述べ、神性についてもたびたび述べてきたけれど、それらは実体の属性であり実体の延長として述べてきており、カントの言う理性によって捉えた概念というものではないように、ここに言う永遠や絶対や一にして全は概念ではない。カントにおいてはそれらは四次元時空の理性によって知ることができるけれど人間はそれを実体として知ることができないという意味で概念と看做したであろうけれど、四次元時空を超えてここに述べる永遠や絶対や一にして全は全く概念や理念ではなく、実体、正確には実体の延長と把握すべきものである。あるいはまた、ここに言う永遠や絶対や一にして全を四次元時空の思考が産出した観念と看做すのも間違いであり、観念や概念という思考の産物というものでもなくイメージといった想像力の産物でもなく、思考や想像力は四次元時空のものであって生成場に届かず、それらは四次元時空を超えて生成場に届いた霊体我が、はじめて直知によって現に体験知したもの以外ではない。

それら——永遠や絶対や一にして全——は生成場において光の放列のリアリティをもって実在性を顕現させており、本質世界の属性として顕れ霊体我を圧倒し歓喜させつつ了知させる。霊体我の意思の及びようもない絶大な光輝の明証がそこには働いて、霊体我はただそのことを歓喜のうちに了知する。

わたしたちはそれゆえ永遠が自らを示すときまた絶対が自らを示すときまた一にして全が自らを示すとき、疑念の生じる余地なくその光の放列の示現を全てただちに喜悦の裡に受け入れ了知する。その示現の様をいうなら、それらは本質世界のしろしめしと呼ぶことが適切だ。本質世界は永遠を光の放列をもってしろしめし、絶対を光の放列をもってしろしめし、一にして全を光の放列をもってしろしめすのである。

本質世界は、人間の霊体我の能力を度外視して、絶大な顕れを顕示する。このようなとき、先に永遠について書いたように、それらは神性の光を放列し、永遠は生き生きと実体を示現するのであり、また絶対は生き生きと実体を示現するのであり、一にして全は生き生きと実体を示現する。それは本質世界は自存するということであり、本質世界こそがただそれだけで存在するということであり、本質世界こそが一にして全であるということである。その意味は、本質世界より他のものは本質世界の前にはなく、生成場も自存しているわけではなく、本質世界があって初めて生成場があり、現象界については生成場があって初めて現象界があるということである。それは、生成場は本質世界に起因し、現象界もまた生成場をもたらした本質世界に起因するということであり、本質世界こそは、生成場と現象界の創造者であるという意の教示である。すなわち、本質世界が世界の創造者であるという含意が光の放列の中で響き渡るのである。

その響き渡りが霊体我を歓喜させる。なぜなら、本質世界だけが自存し、本質世界が一にして全であり、生成場も現象界も本質世界の後なるものであると示現されたそのとき、霊体我は、そのことは同時に、本質世界が絶対の叡智者であり絶対の創造者であることを併せて意味しその含意がしろしめされ教示として示されたからである。本質世界だけが自存し一にして全であり、生成場も現象界も本質世界の後なるものであるとしろしめされ示現されるその言葉が示す実体がその内実を響き渡らせたのである。

生成場における光の示現は実体の示現であり、もし単なる概念なら本質世界の自存と一にして全とはその概念以上を含まないかもしれない、しかし、それが実体を示すとき、それは絶大な働きを示す。それは、絶対の叡智と絶対の創造の働き、すなわち世界創造者としての属性を合わせて響き渡らせ伝達するのである。

本質世界こそが根元者であると響き渡りしろしめされ、そのことが言葉の実体として大きな意味を含んで同時に響き渡った。根元者は他なるものの原因であり、他なるものは本質世界があって初めて在り、本質世界は根元者として他なるものの要因であり、他なるものの産出者であり本質世界は他なるものを創造する。本質世界はその創造をなす絶対の叡智者であるとしろしめされたのである。

本質世界こそが本質世界より他なるものを設計し、その初発を製作したものであり、本質世界こそが本質世界より他なるものを設計する叡智をもち、その初発を製作する叡智をもつ。そして本質世界は設計と製作を成し遂げるばかりではなく、それを動かし、さらにいずこかへ連れて行こうとしている絶大な意志者でもある。

本質世界の絶大な叡智は計り知れず、本質世界の意図は測り知れない。けれど生成場も現象界も現に誕生し展開しており、絶対の叡智と絶対の創造はその意図に則って現に進行している。このようなことはただひとり自存し、一にして全であり、ただ一人先立って在る本質世界しかなしえない。自存し、一にして全であり、先立って在るというその言葉の実体とはすなわち絶対の叡智であり絶対の創造であって、他なるもの、生成場も現象界もそれぞれにあるいかなる存在者もこのようなことをなしうる何ものも存在しないということである。つまり、本質世界の絶対の叡智と創造、このことが二つ目の直知であり霊体我の併せて感知するところである。

この感知によって霊体我は得心しているのであるけれど、わたしたちがさらに一つ目の、別途記す、生成場で生起する出来事をさらに加えて直知することによって、この本質世界イコール世界製作者について報告すべきこととしての再確認を得たのであって、わたしたちは二つの理由をもって次のことを言いうるのである。

本質世界は生成場と現象界を創造する意志をもち、生成場と現象界を創造する叡智を備え、生成場と現象界を創造する力を持つものであり、生成場を創造し現象界を創造するとは、超絶の叡智なしには生成場も設計できず現象界も設計できず、また、超絶の創造力がなければ生成場も創造できず現象界も創造できない。本質世界は唯一それをなしうる世界製作者である。

本質世界が生成場を持ち現象界を持つのは、それが、本質世界の現実化であり現象であるからであろうか。わたしたちの得た知識からして言えそうなことは、永遠、絶対の本質世界が有限、相対の現象界に直接働きかけることができないため生成場の経由を要する。本質世界の目標は本質世界の現実化として、生成場を経由して本質世界の現実化を現象界に現象させることであろうか。本質世界は生成場とともにまた現象界とともに存在することをもって、本質世界としての現実化を行っているということができるのであろうか。

本質世界だけが存在すると言い、本質世界だけが自存すると言うとき、それは本質世界の独存をいうということではない。本質世界の働きは、生成場へ向けた働きにせよ、生成場を経由して現象界に向けた働きにせよ、結局現象界へと働いていることは確かであり、本質世界の独存も自存もみかたを変えれば現象界を目指してさえいる。いうなれば本質世界は自らを現象界へ向けて自己外化させているのである。

気が付くとおおいなる愛が雨のごとく降り、おおいなる慈愛が滝飛沫のごとく霊体我に注がれている。永遠の光を放つ神性絶対、一にして全なる本質世界は同時におおいなる愛でありおおいなる慈愛である。そしていま、本質世界は自らのおおいなる愛を雨と降らせ、みずからのおおいなる慈愛を滝飛沫と注いで、霊体我をそのおおいなる愛と慈愛で包み尽くそうとしている。

さらに霊体我はやがて知る。溢れるばかりのおおいなる愛を本質世界はいっしんにわが霊体我に注ぎ尽くすそのこと、そのことに間違いないにもかかわらず、また、本質世界は我一人のためにいっしんに注ぎ尽くしながら、同時に、生成場の全体に、生成場の全存在者に、さらに次いで、生成場を経由して現象界の全体に、現象界に存在する存在者の全てに降らせ、注ぎ、注ぎ尽くしている、ということである。本質世界よりもたらされたおおいなる愛はいたるところ降り、注がれ、注がれ尽くして、いたるところおおいなる愛の海となり、おおいなる愛の海とならないところはなく、それゆえおおいなる愛の海に浸らないところも、存在者も、ない。

さらに、霊体我は次第に知ることとなる。神性絶対の本質世界はおおいなる愛を降り注ぐものであるだけではない、それどころかそれは一つの荘厳な神性絶対の光を贈るものでありながらかつて知らない無数の光を放射し贈与するものであることを。本質世界からは、おおいなる愛のみならず、他にもさまざまな本質価値が輝きわたって放たれ、霊体我へと、生成場全体へと、生成場の全存在者へと放射され、降り注ぎ、さらに生成場を経由して四次元時空の現象界へと、現象界の全存在者へと放射され降り注いでいる。神性であり永遠不滅であり絶対であり完全である本質世界の荘厳な光は一つの光でありながら無数の輝きをもって放射され、永遠を発信しおおいなる慈愛を発信し諸々の本質価値を発信し、その荘厳な一つの光を放ちながら、その絶対唯一の光は同時に多様な輝きを放つ光であり、多様な輝きに乗せて多様な、豊穣な本質価値を輝かせ放射する。その多様にして豊穣な本質価値の一つ一つはどの本質価値もみな完全であり絶対である価値であり、それら諸価値はそれぞれに完全なるもの、絶対なるものとして一つ一つ独立し完成した本質価値であり、しかもその完全、絶対の本質価値が多様、豊穣に生成場、生成場を経由して現象界へと、雨と降り滝飛沫となって注がれている。

それら諸々の本質価値の発信は生成場に向けて、あるいは生成場を経由して現象界にむけて本質世界が行う贈与であり、本質世界が生成場へ、生成場を経由して現象界へ向けて行う価値賦与であり、価値のしろしめしと付与、そして価値を働かす働きである。本質世界とは本質価値をしろしめし、贈り、世界の本質を本質価値として生成場に、現象界に、そこにある全存在者に展開し、しろしめし、贈り、働きかけるところのものにほかならない。

本質世界とは何であるかといえば、わたしたちはそれを本質世界の三つの様態によって知ったのであった。第一の様態として、本質世界とは光の源、光の発信源であるといえ、それは生成場における霊体我のさらなる上昇において本質世界が顕現することによって示現された。そのようにして、本質世界とは、神性の光、荘厳の光を放射する発信源であることをわたしたちは見た。それにたいし次いでわたしたちは本質世界の第二の様態を、永遠、絶対、一にして全なる存在であるという本質世界の属性のなかに見た。永遠なるものは本質世界より他になくそれゆえ本質世界は絶対であり、永遠、絶対であるものは本質世界より他になくそれゆえに本質世界は一にして全であった。そしてそのことの内実として本質世界は絶対の叡智であり絶対の創造者にほかならない実体であることが示された。このように本質世界の第一、第二の様態が示されたとき、それらの属性の顕現は本質世界のしろしめしでありかつ本質世界の、そのしろしめしは生成場並びに生成場を通じて現象界に届けられ、生成場並びに現象界を支え根拠づけていることを証示した。第一、第二の本質世界の様態は、本質世界にとっても、現象界にとっても、現象界の存在者であるわたしたちにとっても、次の第三の様態を展開するための礎である。本質世界の第三の様態は、本質世界が本質世界として現象世界の礎としてあるのみならず、世界の本質としてあることを示すのである。本質世界のこの第三の様態が、本質価値の展開である。この本質世界による本質価値の展開は、生成場、さらに生成場を通じて現象界に向けてなされる本質世界の行為であり実践であり現実化であって、それが本質価値の贈与として、働きとして実現され、本質世界の第一の様態、第二の様態がすべてこの本質価値の展開に注がれて成就されるのである。

本質世界はみずからの属性である永遠、絶対、普遍であるその属性であろうとするとき、そのことを表示する実体を表出する。それが本質価値である。そのようにして表出された本質価値とは永遠、絶対、普遍そのものであるその内容のことである。それが不壊の愛、無限の慈悲、根元なるいのち、永遠の美、完全なる調和、完全なる平安、完全なる秩序、普遍の善、聖なる至福、聖なる喜びなのであり、本質世界の永遠、絶対、普遍というものの内容である。

そこでこの後、本質価値について見ていくこととしよう。

生成場にこれらの本質価値が降るとき、本質価値は光とともに際立ち生成場はあるときとりわけ不壊の愛の光に満たされ、あるときとりわけ無限の慈悲の光に満たされ、あるときとりわけ永遠の美の光に満たされ、あるときとりわけ完全なる調和の光に満たされ、あるときとりわけ完全なる平安の光に満たされ、あるときとりわけ普遍の善の光に満たされ、あるときとりわけ聖なる至福の光に満たされ、あるときとりわけ聖なる喜びの光に満たされる。

わたしたち霊体我の器の容量は小さく、ただただそれら絶対、永遠である個々の多様な本質価値をその都度個別に受容するだけで至純の喜悦がはや容量を超え溢れ零れさせてしまうけれど、それら多様な本質価値は本来一つなる超大な本質価値であり、本来その超大な本質価値の全てがこのようにして生成場にもたらされ、その生成場において実体となっているのである。

本質世界である永遠、絶対、普遍は、その永遠、絶対、普遍を実体として表出するため本質価値を表出した。次いで本質価値が実体であることを表出するために生成場を創造した。かくして生成場は不壊の愛、無限の慈悲、根元なるいのち、永遠の美、完全なる調和、完全なる平安、完全なる秩序、普遍の善、聖なる至福、聖なる喜びが実体化したところとなった。それらの本質価値は生成場という場所を得て現実化したのである。

本質価値はさらに生成場を経由して現象界に、そしてそれらの存在者に降り注ぐこととなるけれど、それは生成場で実体化した本質価値が、次の段階において歴史的現実となるためにほかならない。

第七章　生成場の響動

一元的には生成場がある

そもそも一体何があるのかというなら、わたしたちはただ、生成場があり生成場の本質世界における本質価値の展開がある、ただひたすらその展開があって、他のもの、時空も物質もみなそこから生み出されそこへと帰還するものであるということが正しいのである。

ここに言うのは生成場一元論である。生成場においては物質は物質以前であり未物質である。時空は時空以前であり未時空である。霊魂もまた非物質として生成場にある。価値も本質価値として、ある、生成場には生成場から生まれるもの生成場において本来あるものの一切がある。生成場からみな発出するのである。

生成場それ自体が共同存在

生成場次元は時空次元を超えてある次元である以上、そこは時間と空間の制約がなく、また生成場次元には永遠が流れ込んでくる以上そこは有限性を超えたもの、すなわち本質価値が降り来る次元である。生成場は時間と空間という限るもの、分限するものをもたない。このことは生成場に来る存在者についても、それを反映したものとして顕れる。

我はそこ生成場に来て、そこで自分が霊体我であることを悟り、霊体我はそこ生成場にあって、他の生命もまた、人間が霊体我であるように霊体であり、自己の霊体我と他の生命、他の存在者たちの霊体とが分限を超え限定を超えて存在していると知るのである。人間の霊体我も、他の生命の霊体も、それぞれに個体でありながらしかもその個体であることを否定せずに個体にとどまらず個体を超えて互いに繋がりあって響動しあっているのを知るのである。

わたしたちはさきに生成場の性格から霊体我や霊体がやむなく分限や限定を取り払われるかのような表現をしたけれども、それはより正しく言うならば、個別性に留まるものは生成場に来ないのである。分限と限定に留まるもの、個体に留まるものは有限な時空に留まる。したがって生成場に来ない。しかしながら霊体我も霊体も、本来それぞれに個であるにもかかわらず個を超えてあるからこそ四次元時空を超えてきたのであり、本来四次元時空の存在でないからこそ生成場にあるのであり、霊体我や霊体がそれぞれに個でありながら個別性を超えてあるということがその本質としてあるというのが、それらが生成場にある本当の理由なのである。

わたしたちはかつて「生成場論」において次のように書いた。「生成場にあるとき、生物が生きているように、非生命とされる石が生き、山が生き、雲が生き、星が生き、銀河が生き、大空に生命の熱波が流れるのを目の当たりする。石、山、雲、星、銀河、大空が生き、それらが生命をもつのは、犬が生き、蝶が生き、花が生きているのと寸分変わらない。生成場では非生命とされ物質とされたものたちもまた生きている」、と。生成場において知る物質のこのような生命感をどう判断すればよいか、わたしたちは困惑する。

響動

「おおいなる光と繋がった霊体我が、おおいなる光と繋がった草木が、おおいなる光と繋がった動物たちが、おおいなる光と繋がった生命が、そのおおいなる光と繋がるばかりでなく互いに共感共鳴する同士として繋がっている。

共感共鳴するわたしたち同士が本質世界の光の下で繋がって存在しているのであると、そのことをまた知る。そして命なきものも、命なきがままにわたしたち繋がったものに相和し繋がった世界の存在者同士として一大響動をなしてあるのだということもまたわたしたちは生成場において知る。

いのちなき物質もまたわたしたちの響動に参画しないではいない、それゆえ全大地、全天、全宇宙が生成場においては響動し合っているのである」

協同とは響動である

生命はわたしだけの生命ではなく他の生命と結ばれ連動しているのである。そこではわたしだけの生命という孤立した生命はなく波打つ大きな生命なのであり光の中でそれらが音楽に響くように響きあって一大調和と一大活動とを行っているのである。わたしたちの生命はそこでは霊的であり霊的な生命つまり『いのち』が四次元の身体の生命活動の大本をなしており、その霊的な生命、『いのち』がそこでは連なったものであり全体の調和に依拠したものなのである。響動が初めからあり共同が初めからあり繋がっていることがはじめからあり切れた孤立した単独のものなぞないのである。そして岩や山や星、それら生命なきもの、その岩や山や星々もまたいのちが奏でる一大響動のハーモニーに和し響和して参画しているのである。わたしたちはすべてが協同する世界に存在しているのである。

降り下り、響動させる

「善きかな、善きかな」と言祝ぐ言葉をわたしたちは思わず想い出す。華厳経や無量寿経において真如よりきたるところの如来が唱える唱句であり、それといまわたしたちが記述しようとすることとの一種の近縁性がそこには想い起こされるからに他ならない。本質価値はまさに本質世界が善きものとして自ら頌歌をもって提示し、言祝ぎ、しろしめし、働かせる多様な価値でありそれは多様な輝きによって華のように華やかである。

かさねて言えば、本質価値は本質世界が自ら頌歌を歌って繰り出す華々、荘厳な光に輝き、神聖であり、永遠であり、絶対であり、まったき統一であり、完全性である多様な善き華々なのである。その善き華々を本質世界は生成場に、現象界に雨降らす。

雨降る善き華々である本質価値とは次のようなものである。不壊の愛、無限の慈悲、根元なるいのち、聖なる創造、永遠の美、完全なる調和、完全なる平安、完全なる秩序、普遍の善、絶対の叡智、聖なる至福、聖なる喜び。それら善き華々が雨と降る。

「生命あるものの響動」と「生命なきものの響和」

生成場において明らかになったことは、生成場においては生命あるものは皆響動しあっている。生成場を照らす本質世界の光の中にあって、生命あるものは降り下る光を受けて歓呼しつつ、その光の中で同じく生命あるもの同士がまた響き合い繋がりあっている姿を確認しあい喜び合って光の降り下りに合わせ響きあって打ち震えている。命が繋がって一大熱波のごとく広がり生命同士の繋がりをわが生命と知るのである。

生成場に霊体我としてあるならばそれが草木であれ獣であれ虫であれひとであれ誰であれ何であれその雨降る華々である本質価値を浴びるであろう。

雨降る本質価値はひと、獣、虫、草木が浴びるだけではない、あるいは山川であれ岩であれ川であれ海であれ空であれ月であれ星であれ星雲であれ天であれものみな華々なる本質価値の雨を浴びる。ものみな光に包まれた本質価値の雨に濡れ、その雨に相和し、聖なる至福と喜悦を受けてわれと全宇宙と一つとなりつつすべて響動し響和し融合の窮みとなって、光の源泉のかなたへと靡《なび》くのである。

プロティノスの自然

プロティノスは『エネアデス』Ⅲ－8「自然、観照、一者について」において語っている。

「それでは、まじめな態度でとりくむ前に、まず、たわむれに次のように語ってみることにしよう。〝(この世界内のものは) 理性的な生きものばかりでなく、理性をもたない生きものも植物の生命《ピュシス》も、また植物をはぐくむ大地も、すべてが観照を求め、これをめざすべき目的としている。そして、すべてはその本性にしたがった状態にある時に可能な限りその目的を達している。だが、それぞれの観照の仕方や目的の達し方にはちがいがあって、或るものは真の目的を達しているが、別の或るものはその真の目的の模倣や模像を得ることで目的を達しているのである〟と」(田之頭安彦訳) ――プロティノスは当時でさえ哲学的非常識をかたらなければならない真理を語りだすのに〝たわむれ〟といいながら切り出すのであったが、ここに語られたことがもちろん戯れではなくプロティノスの本当に語りたかったことなのであった。つまり、理性を持たない生命も植物の生命も大地も、みな観照を求めて活動しているというのである。このプロティノスの本音の認識とわたしたちの理解とはまさしく同じである。わたしたちもまた『光から時空へ』において次のように記述した。

「生成場の光の海に踏み込むなら、わたしたちは全宇宙が本質世界から流れ来るおおいなる光を振り仰いで共感共鳴しているさまを見ることになる。

生成場では草も木も、本質世界から降り下るおおいなる光を浴びおおいなる光に応じて相和し自らも仄かなしかし熱烈な炎を伸び上がるがごとく発し燃え立たせている。

それはあたかも霊体我が本質世界から来る光の海で自らに出会い、歓呼しながらさらに光を求めて上昇しようと伸び上がっている様となんら変わらない。

樹木の葉、樹木の枝、その一つ一つから燃え立つ熱い仄かな炎が無数の炎となって空に向かって燃え、空から降り下るおおいなる光と触れ合おうとわなないている。

生成場ではわたしたち、すなわち霊体我も草も木も、いやそればかりか命あるもの等がみな、そして山も川も周囲にあるすべて、大地も天も全天も星々もさらに宇宙、それらみながみな本質世界から来る光を浴び、光を浴びることに喜戯し、そのようにあるあり方に共感し共鳴し歓呼しているのであり、生成場はそのものみなの歓呼と共鳴に沸いているのである」

生成場−現象界

霊体我が生成場から現象界を見ることによって知るのは、わたしたちは本来、このように、いつでも生成場−現象界にいるということである。

わたしたちは、現象界にありながら、同時にまた併せて生成場からの光を浴びているという二重の次元にいつも存在しているということである。わたしたちは常に四次元時空の現象界にありながら同時にまた併せて四次元時空を超えた生成場にも生きている。

わたしたちは現象界の身体、脳、心理という生物として四次元時空にありながら、同時にまた併せて生成場の霊体我という我でもある。

この二重にあるというあり方が本来のあり方であり、そこにはいつも永遠からの光がさし、その光の中の景観を真理として見ることができ、常に生成場−現象界にいていつも永遠の光を浴び、本質世界からの本質価値を浴びて存在し生きている。

自然の光景、地上の光景がこのように永遠の光を浴び無限の本質価値を降り注がれているなら、この地球の光景は量子場が他の星々、宇宙空間全てに適用できる以上生成場もまたそれは適用でき、したがって、それらもまた同様に永遠の光を浴び無限の本質価値を降り注がれているに違いない。

地上に見る光景はしたがってそれは火星の光景であり太陽系の光景であり天の川銀河の光景であり宇宙の均質性に則るなら隣のアンドロメダ銀河の光景であるのはもとより銀河団、超銀河団の光景であろうと推察できる。宇宙もまた永遠の光を浴び無限の本質価値を降り注がれ四次元時空と生成場次元の両次元において存在し、光の下、本質価値の下に蘇って耀き返っている、そう見做せるはずである。

世界は四次元時空にあるけれど、それればかりではない、世界は併せて生成場次元にもある。宇宙は四次元時空にあるけれど併せて四次元時空を超えた生成場次元にもある。存在者は四次元時空にあるけれど併せて時空を超えた生成場次元にもある。

既に前に述べたごとく、世界は四次元時空と生成場次元とからなっていて、生成場次元が、四次元時空の宇宙を包摂し、かつ、極微の領域において四次元時空のうちへと混入することなく織り込まれているのであった。四次元時空と生成場次元の関係は、先に論じてきたごとく、プランクスケールという極微のスケールで見るならば、格子状の時空に対しその格子には隙間があって、その隙間が幅を持った無であれ幅を持たない点であれ、そこには生成場があって時空に織り込まれている。

格子状の時空とその隙間にある生成場の関係において、宇宙にはいたるところ極微領域において時空だけでなく生成場があり、時空と生成場とは混入せず、三次元の空間に対してその隙間が幅のない点であれ幅を持った無であれ生成場は時空とは次元を異にして時空に織りなされている。

宇宙もそこに存在する存在者も人間も、時空と生成場との織物の中にあり、時空と生成場との織物によって構成されている。これを言い直せば宇宙もそこに存在する存在者も人間も、場の量子論の説明するようにいたるところ量子場を持つということが言えるならその量子場に隣接して生成場を併せて持っているのであり、宇宙もそこにある全ての存在者も人間も、四次元時空と生成場次元との両次元にあり、その微細領域においてはそれらはなべて量子場と生成場の二つの場においてある。

わたしたちはこれらのことを場の量子論における時空中の振動と、量子次元という時空を超えた距離のない空間と経過のない時間の場所から来る振動の震源という理論から、それを量子場と生成場の関係として捉え、量子場の先に隣接する生成場を、わたしたちの生成場における直知からおのずから導かれ唱えてきた。

その論からするなら量子場の振動にはその震源がなければならず、わたしたちの生成場直知はまさにその振動を生成場が起こさせているということ、それは生成場に到来した本質価値の展開においてなされるたえざる生成に他ならないという直知に、まさに符合する出来事であり、その出来事にあわせて本質世界よりもたらされた意味教示によって了知されたことであった。したがって霊体我が生成場にあり身体が時空にあるという二重のあり方は、上の点からするならば当然のあり方となる。つまり身体という物質は四次元時空にあり霊体我という非物質が生成場次元にあるのは、世界が四次元時空の量子場とそれに隣接する非時空の生成場からなるならそれは当然なあり方である。

通常ひとは対象化認識しか行わず四次元時空しか見ず、生成場次元があることもそれが時空に織り込まれてあることも見ず不審にあるいは不思議に思うであろうけれど、また、時空に馴染みにくく生成場に馴染みやすい霊体我が、通常の対象化認識からは隠れて知られないから、不審にあるいは不思議に思うであろうけれども、それはいたしかたない。

四次元時空において身体の眼と悟性や感性による対象化認識では決して見ることのない裸形の現象界のありようを霊体我として直知するときが来るまで、ひとにはあるいは時空に織り込まれた生成場は知られず、生成場を通じて現象界に届く永遠の光も多彩に輝く本質価値も知られないかもしれない。

しかし四次元時空の宇宙が生成場により包摂され生成場が微細領域において時空に織り込まれているというその具体的な内実は、生成場–現象界においてはじめて現実的に明らかになることなのである。

四次元時空には量子場があり、量子場の先には物理学においては無、わたしたちにおいてはそれは生成場が在るという世界の構造をわたしたちは伝えいま生成場–現象界を確認するに及んでその現実化を明確にし重ねてその現実性を唱えておきたい。

生成場–現象界には語られねばならないことが多くここでは到底語りきれない。わたしたちは本書ではこの項については、最後に次の一景を報告し、ひとまず生成場–現象界についての項を閉めることとしよう。

生成場－現象界においてはひとはその生成場－現象界の全体が響動するのを知る。おおいなる光と繋がるわたしたちは本質世界の光の下で繋がって存在し、本質世界の光と本質価値を受けそれに呼応しつつ応答し、そのときあたかも全天が響き響動しているのを知る。

おおいなる光と繋がった霊体我が、おおいなる光と繋がった草木が、おおいなる光と繋がった生き物たちが、おおいなる光と繋がった山が野が、大いなる光と繋がった星々が、雲が大空が、それらがみな歓喜し大いなる光と繋がるばかりでなく互いに共感共鳴する同士として繋がって、その繋がりが全天を挙げて波打ち、広がり、響きあっている。

生成場－現象界の内容

ひとが生成場－現象界にあるなら、夜ならば月光と星明かりを凌ぐ夜空の明るさに驚嘆するであろうし、昼ならば陽光を透かし陽光に重なって透明なあるいは多彩な煌きが浮き立ってくるのに驚くであろう。

光の、夜と昼のそのような初期の徴は程なく夜陰にも陽光の空にも一面に拡がり、その神聖な光がさらに明るさの度を強め、いつしか大波となって夜空一帯にあるいは昼の大空全体に行き渡り耀きたつのを目の当たりするであろう。

かつてひとが経験したことのない巨大な歓喜を随伴して、その神聖な光が、その豊穣な本質価値の光が大空に行き渡り、光景は一変する。

生成場－現象界の光景とは、時空と、時空とともにそこに織り込まれてある生成場によって見るわたしたちの住む地上の光景であり、それは、二つの次元の重なり合いの中にある地上の光景である。二つの次元の重なり合いのなかで、現象界には本質世界の永遠、無限、普遍が永遠の光とともに生成場を経由して流れ込み、本質世界からの本質価値が永遠の光とともに現象界に雨と降る。

現象界は永遠の光と本質価値とに働きかけられ、働きかけられる現象界はといえば、そこでは四次元時空で見えた縦横高さと流れる時間の現象界でありつつも、光を浴びるなかにその現象界が目を見張るばかりの変容を遂げて蘇っているのである。

通常現象界において見ていたその同じものが、同じものでありながら見違えるばかりのものとして再登場しているのである。まずはじめ、直知的対境にあるものは近接性を帯びて親しげであり、そこでは見るわたしと見られるものとの断裂が解消されている。

わたしと見られるものとは親密であり、わたしは見るものと地続きに繋がって、見られるものは打ち解け平安である。わたしも見られるものもそれぞれ個別のものでありながら、わたしも見られるものも個ではなく孤立がなくうち連なっている。

自然であれ個別の物であれ、それら現象界において孤立した物として現れ直ちに物質であると看做したであろうものも、そこでは、自然も個物も孤立性も持たず連なって一体的ともいえるものとなっている。

月明かりも星屑もさし置いて明るくなりまさった夜空が、さらに月も星も暗くするほどに明るんで光の大波が顕れ出ると、熱い熱波のように無限の本質価値が天空より降り掛かって、光とともに地上に落ち掛かって来る。それは、いのちの光とも、愛の光とも、至福の光とも言える光であって――、その絶対の本質価値が地上に射し込み地上の存在者に注ぎ込む。

生成場―現象界より見るならば、地上とその存在者はこの神聖の光を浴び無限の本質価値を受け、受け続け、それをいつも受けている。光はいつも降り、本質価値もまたいつも降っている。

それまで四次元時空において対象化されて見えていた時空の存在者は、生成場―現象界においては対象化認識の制約を解かれ、あたかもいま目覚めたかのごとくに蘇り、初々しく溌剌となり、鮮明となり、息をのむばかりの美しさを見せる。

それは生成場を経由して現象界に流れ込む神性の光と無限の本質価値が四次元時空の現象界を抱きかつ注ぎ入って現象界を蘇生させた光景であり、現象界とその存在者が賦活され刻々に新生し、生まれたばかりの裸形を顕にした光景である。

その初々しさ、その色彩の鮮明さ、活き活きとした様は、雨と降る光と本質価値を受容して輝き返る現象界の存在者の再生の姿であり、それはまた四次元時空においては隠れて見えなかった四次元時空の存在者のあるがままな顕な真の姿なのである。

そこには光を浴び本質価値を浴びる自然があり、山や野や樹や大空があり、それらは光を浴びいま蘇って真新しく、瑞々しく、また明瞭に色鮮やかに、——まるで覆われていたヴェールが取り払われたごとく——対象化世界を振り解きくっきりと浮かび上がって存在感もあらわな本姿を見せて再出現する自然である。

本質世界からの光と本質価値が、山、野、樹、大空を照らし、それを受け山、野、樹、大空は内部から耀き返す。どれも生き生きとし、どれも明瞭で新鮮で、たえざる新生のさなかにある。現象界が本質世界からの贈与を受容して嬉々とする様がそこには見える。それらが嬉々として見えるのは本質価値をそれぞれが受容しその受容に応え返す応答が顕れている。

現象界の対象化認識にあってはいかにも客観的でいかにもモノ然と冷ややかにしか見えなかった存在者は、生成場‐現象界では、降り来る本質価値へと向き合い答え返し嬉々として光の本質価値を受容していたのである。

自然であり生きものであるそれら存在者が、光と本質価値とに応答し受容し、通常わたしたちには見えないけれど、自然も生きものも、光と本質価値との間では交歓が行われて、そのことがここに明らかな姿をみせるのである。

第八章　現　象

現象とは本質価値が四次元時空へと現れ出たものである。本質価値は生成場において本質価値の破れとして生成され、四次元時空に現象化する。

本質価値から物質現象が生まれ、生命現象が生まれ、こころの現象が生まれる。

時空に来る直前まではそれらは生成場において本質価値としてあって、四次元時空の観察者には見えないものであったが、現象として現れ出たとき、物質、生命現象、脳現象などの現象として出現する。

四次元時空の観察者には、物質や生命現象として現れたものに付帯している法則やいのちは、時空とは異なる次元においてあるため、科学者によって発見される対象となる。法則やいのちはそれぞれ物質や生命現象に内在していると見えるほど密着していながら、それらが物質そのものでなく生命現象そのものでなく、四次元時空にはない隠れた次元にある故に、科学者によって新たに発見されなければならない。そして発見された暁には、それらは法則としてあたかも物質や生命現象に内在するものであるかのごとく扱われ、現象と一体化される。

現象に隠れてある理

物質や生命現象に働く法則を論理として捉えるのがヘーゲルの論理学である。わたしたち流にそれを言い直せば本質価値の現象化という理路である法則は同じく論理ということができるであろう。

本質価値としての善や秩序が時空にもたらされる理路を法理と見ることができる。本質価値としての叡智、慈悲等が時空へともたらされる理路、哲理と呼ぶことができよう。他にも本質価値の愛、本質価値としての至福や歓喜もまた天の理である。

そしてよく考えてみなければならないのは、これらの理を日常は意識しないとしても、実は知らないわけではない、ということである。ひとの通常の意識には現れないとしても、通常の思考や感性や感情にそのような理がそのまま表れないとしても、こころの深くにおいて知っているのである。時空の存在であるひとの日常には、それらの理はもっぱら時空なりの内容に変換されて、通常の愛、喜び、知となって生存のための有用な働きをするのである。

ひとはなぜそれらの理を知っているのか。霊体我としてのひとは、それらを浴びることができるからである。

霊体我と自我による理の時空化

霊体我として本質価値が論理、哲理、天理として現れていることを霊体我は知っており、あるいは単に知るだけではなく、その働きを受けている。しかしひとの身体、五感、脳は時空存在であり、自我は四次元時空に向けた霊体我の仮設の機構としてあるなかで、その本質価値からもたらされた論理、哲理、天理を時空的なものへと変質させなければならない。それがひとが通常知る、愛や善や秩序や美等々となるのである。

物質の起源について

時空の中に起源はない。起源は時空を用意したその同じ場が用意するからである。起源とは、そこから始まるということでなければならない。一番最初の始まりでなければならない。最も根本的なことは、今日に到っても起源がわからない。わかるのは始まった後のことばかりなのである。宇宙、物質、生命、価値、真理、満足、時空これらの起源がわからないのである。なぜわからないのか。簡単なことである。それらの起源は時空の中にないからに他ならない。

宇宙、物質、生命、価値、真理、満足、時空の起源

上記のものの起源は時空の中にない。なぜか、いずれも時空を超えた生成場において本質世界によって造られもたらされたものであるからである。物質の起源を量子場に探ったりひもに探ったり等々されているが、そこには起源はない。仮説が立てられるが、ではその前は何であるか、と問われる。結局、無をもってくることになる。宇宙の起源についても、ビッグバン仮説がそうである。無があってその後超高温が始まるのである。生命はたんぱく質であったりアミノ酸であったりする。それはただ生命の成分に過ぎない。だからたんぱく質やアミノ酸という分子からどうして生命になるかが決して答えられない。

価値は本質価値に源泉がある。

満足は時空のなかでは決して達成し切るということがない。

時空の中で創造されない

上記のものが時空の中に起源を持たないということは、上記のものが時空の中で創造されたものではないということである。「種の起源」はあくまで「種」の起源なのであって、「生命」の起源ではない。進化論はあくまで進化論であって、創造論ではない。

創発には自発性がなければならない

時空の中での創造を考究していくとき、その始まりというところまで来て、ではその始まりの自発性はどこから来たのか、ということが出てくる。

物質の始まりとしての、素粒子の自発性

宇宙の始まりとしての、超高温の自発性

生命の始まりとしての、たんぱく質の自発性

しかし、素粒子の自発性にせよ、超高温の自発性にせよ、たんぱく質の自発性にせよ、実に奇妙な

矛盾を含んだ表現というほかはないであろう。自発性には意思があるが、素粒子や高温やたんぱく質に意思なぞあったためしがないしそう考えることができる理由も考えられはしないであろう。

科学は起源の問題に解答できない

科学は時空の中を対象とする学であるがゆえに起源という時空を超えたことを解答する資格を持たない。科学が上記の主題の起源に満足な解答を与えられるなら、そこではじめてすべて時空の中で生まれたということができるが、現在までのところはそうではないし未来においてもその可能性は困難であろう。

本質を語るには起源が必要

上記のことについて本質を語るにはその起源が明らかにされなければならない。しかし起源が語られないなら、その本質もまた語られないということである。

始原論

始原の哲学はどのように始まることができるのだろう。

始原の哲学が対象とする始原という対象内容は何かが先にあったり何かが前提としてあったりすることはできない。ではその始原を扱う哲学もまた、何かを先に持たず、何かを前提にせずにスタートしなければならないのであろうか。そもそも哲学という学が始まるのに何も持たず何も前提とせずに始めることができる、そんなことがあるのであろうか。

これまで多くの哲学が第一哲学や形而上学を名乗りながら、したがって物自体や普遍や実在をその対象とすると主張しながら、哲学主体自らは物自体や普遍や実在に届かない通来の場所、すなわち物自体に届かず、普遍に届かず、実在に届かない場所から始められていたのであって、したがってカントの厳密な認識論に痛烈に批判されたのであるが、通常の思考から始められたのであった。

思考を前提にするなら、あるいはその最上のものとしての理性を前提にするとしたなら、どうして次元の異なる懸崖を乗り越えることができるであろう。したがってそれらの自称第一哲学や形而上学は単に思考や理性によって捉え得るものとしての物自体であり、普遍であり、実在であるという結果を招来するしかなかったのである。

他のいかなる哲学とも違って、本質直知の哲学は自らを無に置いた場所からスタートするのであり、反省的な思考がその無を吟味するということを行うのではあるが、その哲学自体はまさに始原を語るにふさわしい位置に立つのである。もしそうでないならそれは単に始原についての観念を思考したというにとどまるのであって、直知の哲学ではない哲学の行うところであり、カントをして形而上学の空虚と論難されたものと同じになってしまうであろう。

この点では量子論と類似するところであって、量子論は観測をするところは時空からであっても、それ自身は時空の外にまで達するのである、というのに符牒を合わせている。

では本質直知の哲学はいかにして自らを無に置くかといえば、ここには無ではないところから無に達するところまでのプロセスがあるのは当然のことである。わたしたちはこのプロセスに限定する限りにおいてヘーゲルの弁証法を肯定する。ただヘーゲルにあってはその弁証法は完了されないという憾《うら》みがあるけれど。

1　有史来の学問の歴史を振り返るなら、起源について記述してきたのは哲学であり、もっぱら第一哲学と呼ばれる形而上学や存在論においてそれは行われてきた。現代の学問においては起源論を論じるのは哲学ではなく物理学であり、天文学と合体した宇宙論がその任を担おうとしている。物理学としては物質の起源を探って最小物質としての素粒子に行き着き、宇宙論としては宇宙誕生のビッグバン仮説、あるいはそのビッグバンにさらに遡る一秒にも満たないインフレーション仮説に到達しているということができる。物理学や宇宙論は物質と宇宙の最初の姿を提示して見せようとする。つまり物質は物質から誕生する、という論理の最初に達したのであってそこでその最小物質の素粒子、あるいは最小宇宙であるインフレーションの「種」の誕生という二つのストーリーが合成され、現在の物理学の唱える起源論が生まれているのである。それが「標準模型理論」から示されてくる起源論である。

いまこの宇宙だけではなく、他の無数の宇宙を言わざるを得なくなっている。それはそうなるのは理の当然で、インフレーションの「種」もインフレーション直後に生まれたという素粒子も、結局、そこで止まってそれこそが起源であるということができないからである。そしてついに他の無数の宇宙があってその一つとしてのこの宇宙の種が生まれたとするストーリーが登場することになるのである。はたしてこれは論理的矛盾を物理学が抱え込んでいることの証左でしかない。というのも物理学をはじめ科学は、物質は物質からしか生まれないとした論理、あるいは物質しか実在するものはないという前提のもとに出発しているのであって、そうである当然の帰結としてどこまでも、無限に遡って物質を起源の根拠としなければならず、ついにこの宇宙に説明力のある起源を見いだせないとせざるを得なくなって他の無数の宇宙を持ち出し、その無数の宇宙の一つが現在の宇宙であるとせざるを得ない羽目になっているだけのことである。しかしわが宇宙は独立して存在しており、それゆえにユニバース（唯一の宇宙）なのであって、他に無数に存在する宇宙なぞ決して誰もどのようにしても確認のしようもない。まったく実証はおろか何一つ確認できないものを持ち出さざるを得ないところに物理学は逃亡しただけのことである。確認できること、実証できることを旗印に科学が作り上げられてきたにもかかわらず、科学は宇宙の起源という最高、最大のなぞに対して全く責任ある説明力を持っていないのである。なぜこのようになったのか、それは科学が採用した論理、物質は物質から誕生するという論理、それが誤謬の論理だったからである。

2　では「物質は物質からしか生まれない」という論理は全く間違っているのであろうか。そうではなかった。化学においては原子から分子が生まれ分子から高分子が生まれる。原子以上の世界を説明するには、「物質は物質からしか生まれない」という論理は間違ってはいないのである。ただ、化学や物理学の論理は、それをどこまでもさかのぼって適用できないということが明るみに出ているのであり、それが量子力学なのであった。

「物質は物質からしか生まれない」とすることが正しくないことが示されたのが量子力学の登場である。

3　わたしたちの本質直知の哲学からみるならそれら物理学は起源論としてかなり一定程度の成果をあげ、量子論や宇宙論がさらなる探究を進めることで、今度は逆に哲学の歴史を一貫して貫く起源の論述が一体どのようなものであったのかそのことが再考され、そのうちの本質的なものが何であるのかが明確になってくるであろうとそう考えることができる。つまり、第一哲学を標榜する中のあるものと、現代物理学との擦り合わせが起源の問題に現実の実りを産むことができるところに来ったと考えるのである。

4　量子論や宇宙論においてはとはいえしかしその始まりは決して始まりとはいいがたい。なぜなら始まりに既に素粒子や量子場、あるいはインフレーションを起こす種としての斥力という力が存在するのであるが、およそ始まりに既に何かの物質やエネルギーがある、というのではまだそれは起源ではないからである。その点ではひも理論も同様で素粒子や量子場、あるいは斥力が起源ではなく、それらの生まれる前こそが本来の起源であるべきだからである。しかしそれでも、わたしたちの本質直知の哲学の始原論と大いに擦り合うところが極めて実り多いところである。

哲学は現代では物理学と異なりもっぱら観念の学であると見做されている。それはそのとおり観念でしかない哲学が多いためでもあるけれど、わたしたちの提示する本質直知の哲学は決して観念の学ではなく、実在に肉薄する現実学であるゆえに、本質直知の哲学からするなら現代物理学とすり合わせができる、ということになるのである。

5　宇宙がビッグバンあるいはそれに先立つインフレーション理論をもって始まったとするなら、それが妥当だとして、なぜその始まりの時に、ビッグバンの仕組み、あるいはインフレーションの仕組みがあるのか。そして素粒子が生まれあるいは力が生まれるにしても、なぜその素粒子や力はそれぞれそのような仕組みをすでにして持っているのか、ということである。

これは同様に、生命の起源とその起源によって誕生した生命についても同様に投げかけられる問いである。原初の高熱のスープから誕生したとされる最初の単細胞体は、そもそもの誕生時に、なぜその仕組みをもって誕生したのかということである。

6　インフレーション理論に始まるとされる宇宙の歴史が正しいかどうかはわたしたちはよくわからない。しかしただ単にエネルギーや素粒子を生むために活動が始まったと考えるなら別だが、エネルギーや素粒子は少なくとも物質を作り出すために誕生したと考えることはきわめて自然である。だがもしエネルギーや素粒子が物質を作るということがあるとすれば、それは偶然なのか、偶然でないのか。そして現代の宇宙論が示すとおりエネルギーや一部の素粒子の誕生直前に時空も誕生していたというのは、偶然なのか、偶然でないのか、ということが疑問として出てくるであろうしその理由が求められることとなる。後にみることにしたいが現代の宇宙論によるなら、一三八億年前にインフレーションという一秒にも満たない突然の超高温の膨張によってビッグバンがスタートを切り宇宙が創成されたという説が有力説となっているが、今日ある宇宙が今日ある姿であるにはこの一秒にも満たないインフレーションにおいて次々と生じた出来事が現在知られているとおりでなかったら、今日あるような宇宙ができることは難しかったとされている。宇宙創成の一秒のうちにも、重力、時空、現在の宇宙を構成する四つの力、素粒子の一部がなんと出揃っているというのである。そこで肝心な問いとは次の問いである。そもそもインフレーションが始まった突然の超高温はどうして起こりえたか、ということである。

わたしたちがここで言わんとしているのは、一三八億年後である今日からみて一三八億年前に起こったことは偶然か、それとも偶然ではないのか、ということである。この宇宙創成の一秒以内に起こった出来事が今日ある宇宙を作ったとみられるこの説に対して、物理学者の多くが、「ゼロでない確率」で起こった偶然とみなしている。念のために言えばゼロでない確率とはありえない確率ともいえる。

7　生命について真理論から見るならば、それは現代の自然科学がえがいてみせるものとは異なっている。わたしたちの本質直知の哲学から見るならば生命もまた生成場からもたらされるが、しかし生命は物質とは同一ではなく、本質世界からもたらされた物質を活用するものである。現在科学が提示する生命論はすべて物質に還元されるものとなっており、科学の方法論からするなら現段階ではそのように映じるであろうとしても、真理論の視座から見るならそれは生命の正当な理解ではない。パウロが「肉の思いは死であり、霊の思いは命と平和である」(ローマの信徒への手紙、第八章六節)と書くとき、ここで書かれている命は現代の生物学と真逆のことが言われている。生物学においては肉体にこそ生命があるのであるけれど、パウロはそれを死と呼び、反対に科学が認めていない霊に命があるとしているのである。このようなことがキリスト教の使徒の言明と科学との間に介在し大きな溝を作っているのであるが、同じことはわたしたちのいう真理論と現代の科学との間にも存在しているのである。現代の科学の成果を考えるとき、逆に、いったい真理論とは何か、という問題が起こるのである。人間の理解も、現段階の科学からすれば脳神経系であり、身体であるとみられるけれど、同様に真理論の視座から見るならそれもまた異なる。

8　わたしたちの真理論に照らして理解するなら本質世界の物質創造や生命展開の意図は本質世界自体の時空展開であると推論できる。もしそうなら、人間が物質に還元でき、脳神経に還元できるとしても、それに甘んじるところが人間の落ち着くところではない。現に人間の内には霊性が既に発現している。もし人間が霊性を確実なものとして保持し、その進展を図ることができるならば、それこそは本質世界の意図する進化の方向ではないであろうか。

9　宇宙の進化を見るなら、宇宙は時空、エネルギー、物質として創成され、天の川銀河の太陽系惑星地球においては一〇〇億年を要して生命の存在する場所が作り上げられた。科学の説明するところを借りるなら太陽系以外の系外惑星においても地球に似た生命の発達が予想可能とみられ、さらに、天の川銀河ではない他の五〇〇〇億個を超える銀河にも、同様に生命の展開が考えられる可能性があるという。無論これらのことは当分推論以上には確認できない。しかしわたしたちの真理論からするなら、宇宙は生命を宿す場所であり、物質をもって宇宙の進化が推進されているのではなく、いのちの展開が本質世界の進める本来の意図と考えられる。

10　本質世界は広大無辺ともいうべき宇宙全体に生命の種を蒔いている。本質世界はいずれの生命にも本質価値を贈与し、いずれの惑星の生命をも育もうと支援する。どの惑星の生命かが本質世界の意図を実現できるはずである。

11　ロゴスの起源

人間の思考も本質価値におけるロゴスから汲んでいる。素早く汲むことができたのが、直観である。わたしたちが人間の頭脳で考えたり感情で感じたり感性で味わったりする物と考えているもののなかには、その本質を生成場の本質価値から汲みとっていたりあるいはそれをこころや頭脳に保持していたりするものがある。それは本当はわたしたちが思考や感情をひとりでに使っているとしても、それらは単に収束して取り出すときに思考や感情や感性としてそれらの範疇から汲んできたものであり、本源は本質価値にあるもので、それを時空レベルに縮めているだけなのかもしれないのである。

12　二十世紀初頭まで二十億人であった地球人口はわずか一〇〇年で七十億人を超えるまでに急増した。この間二つの大戦があり、核戦争とアウシュビッツの悲惨も経験した。しかし地球の人類は今日も大変愚かしい。相変わらず人類同士で殺し合い、他の生命への労《いたわ》りもない。

個々人の生活を支える経済の仕組みである資本主義は今やグローバル資本主義であり、僅かなグローバル企業が熾烈な競争でしのぎを削っている。国連は七十年前の戦勝国五国がもつ拒否権によって機能せず、このグローバルな世界の調停機能は無力である。

地球は欲望によって掘り崩され、伐採され、生命の環境たりえない場所へと変貌し続けている。

二十世紀は多大な犠牲が払われ多くの教訓をもたらした。これを学ばなければならない。しかしはっきりとこの教訓が生かされているとは言い難い。

13　資本主義も科学も膨張する欲望をなお肯定し、それによって経済発展を持続させ、科学技術を宇宙進出へと展開させようと計っている。資本主義は経済成長し続けなければ衰退し、科学もまた更なる開発を継続することが使命である如く考えている。二十世紀に月にひとが降り立ったように、いずれは火星を改造し人類が移住可能な土地を作れるであろうと語る科学者。このような尽きない欲望の拡張が本当に進歩なのか。人間はかつて地球を制覇した恐竜のごとく地球を制覇するだけでなく宇宙をさえ自分たちの活動の舞台としようというのか。恐竜が体軀を巨大に発達させたのに比較するなら、それはさしずめ脳を巨大に発達させた恐竜というべきではないのか。

14　どの問題も地球的に連鎖している。国、民族の単位では解決しない。現行の資本主義によっては解決せず、現行の科学だけでも解決しない。近代は国家と民族が人間のアイデンティティとみなされてきたが、その古い殻では増殖する欲望同士が衝突し闘争し戦争するしか道は残されていない。

15　そもそも欲望を増殖させ続けることが誰の幸せになっているかを考えれば、一部の「権力への意志」、一部の守銭奴以外の幸せになっていないことが確かめられるはずだ。権力への意志、守銭奴が欲望を満足させる一方、その犠牲として膨大な貧困と膨大な不幸、そしてニヒリズムが排出され続けるのである。こんなことには見切りをつけなければならない。

普通の人間は胃袋は一つ、食っても知れている。普通の人間は着るものを一〇〇着必要としない。普通の人間はほどほどの住まいがあればいい。欲望を果てしなく増殖させなければならない理由はない。なぜ空気のない火星まで行って暮らさなければならないのか。それを手に入れるために国家間、民族間で激烈な競争に明け暮れ、闘争し、場合によっては殺し合いまでして。

16　自我、こころ

自我が強大になる、これが文明人の特徴である。人類の歴史でみると、このことに対応して頭蓋の容量が増している。

自我が強大になるとき何が起こるかといえば、自我と他とが明確に対峙し、対立するということが起こる。自我が肥大した結果としての、主観－客観なのである。それはさらに、自己に対し、自己以外のものが対立するものとみられ、自我の拡張へと進み、ついには世界を自我のもとに支配しようとし始めるということが起こる。

17　自我と脳

自我の肥大と軌を一にするのが人間主義であり、人間が対立するものを、また人間自身をも物質として対処して行く方法を達成することである。物質を素粒子や分子で説明する物理学や化学といった領域だけでなく、医学も生命学もこの方法論によって前進しようとする。生命もたんぱく質やＲＮＡや酵素で説明し、さらには人間自身も臓器で説明する。さらには自己（我）も、脳で説明する。だがこれらの説明には相当な単純化がある。結局物質に還元できないものが説明もされず、究明もされず、無視されただけなのである。無視され、なかったことにされたのである。

第九章　仕組みの問題

仕組み

物質と生命、宇宙と自然について、現代の物理学や生物学で説明が極めて不十分なところの一つが、物質の起源、生命の起源に関してであるけれど、それとともにその起源の最初に、なぜそのような仕組みと法則がその始まりにおいてできているのか、ということもまた、設問されずおおいなる不思議のまま放置されている。

宇宙はビッグバンあるいはそれに先立つインフレーション理論をもって始まったとするのが宇宙論の最有力な説であるけれど、それが妥当だとしてもなぜその始まりの時に、ビッグバンの仕組み、あるいはインフレーションの仕組みがあるのであろうか。あるいは、素粒子が生まれあるいは力が生まれるにしても、なぜその素粒子や力はそれぞれそのような仕組みをすでにして持っているのだろうか。

また、生命の起源とその起源によって誕生した生命についても同様な問いが投げかけられる。原初の高熱のスープから誕生したとされる最初の単細胞体は、そもそも物質からどのようにして最初の生命としての誕生をはたしたのであろうか。

現代物理学を旗頭とした現代科学は多大な成果を収めてきた。とはいえ、わたしたちからみるならところどころ辻褄の合わないところを見せはじめてきており、その体系がもつ狭隘な側面が露になっている点も見いだせる。とはいえ現代科学パラダイムは十分強固であり、パラダイムの渦中にある専門学者がその体系を信奉しその体系のもとに学問研究を一層発展させようとするのは言うに及ばないとしても、学者ではない一般教養人にもなお信頼を得ているのも事実である。もし科学や物理学のなかでその齟齬を明らかにしその不備を改革していこうとするならばこれから先どれほどの年月を費やさねばならないか、それはまだまだ遥かな将来を待たねばならないことであろう。だからこそ科学者ではない他の領域からの発言も意味を持つのである。

注――トーマス・クーンが明らかにして論述している主張を敷衍するならば、現代の科学は今日相対性理論と実証主義的量子力学のパラダイムのなかにあるということは間違いない。今日「通常学者」はそのパラダイムの守備こそが学問であり、相対性理論や量子力学が通常解釈からはみ出した事象を見せるとしても、その部分については取り扱わないという暗黙のルールのもとで、パラダイムの精緻化という研究実践が行われていると言えよう。

現代物理学、現代生物学等の現代科学は、これまで①の時空内相互作用しか取り扱ってこなかった。しかしこれによって、いくつかの重要問題が解答困難なままに未解決問題として残されている。これらの未解決の性格をみるに、それらは時間が解決するといった類の問題であるのではなく、現代科学の枠組みにある制約のために生じるものであると考えられる。わたしたちは先に非時空の次元の存在を提案したが、ここでは未解決問題解決のために、②時空－非時空相互作用を提案するものである。この時空－非時空相互作用によって、物理学や生物学や脳神経科学等にある未解決問題の解決を図ろうとするものである。

わたしたちは科学や物理学のその歩みに歩調を揃えて待つほどの猶予を持ち合わせているわけではない。したがってわたしたちとしては、科学や物理学の中からの改革を時間をかけて待ち、その改革と歩調を揃えて新たな改革を推進するということは困難である。そこで、わたしたちとしては、その発言のよって立つところをこれまで通り、直知の哲学より行うことを改めてここで表明しておく必要があろうと考える。

だが、わたしたちは実は哲学においても、パラダイム問題にぶつかる。なぜなら現代哲学もまた科学に倣う一般学問のその一つとなっているか、もしくは権威の確定した哲学の哲学研究者による、それもまた一つの哲学パラダイムであるが、そのパラダイムに則った研究ということになっているからである。したがってわたしたちは現代哲学の諸流にも期待することはできない。ただ、哲学がかつて持っていたところのものと連携しながら、それは直知の哲学であり真理論の哲学であるが、その位置から哲学というものを歩んでいくことしかないのだ。

物質には情報が埋め込まれている。いまわかっている情報は数式で把握できるものである。しかしまだ知られていない情報がある。それは、数式を当て嵌めようもないほど、隠れて見えない種類の情報である。なぜ隠れて見えないのかといえば物質的な手がかりをもっていないからである。隠れて見えず、物質的な手がかりをもっていないけれど、まだ、物質に埋め込まれている情報がある。それは次元を異にしているのかもしれない、次元を異にしながらなおかつ物質に埋め込まれていると考えられるそれは、四次元時空とは違う別の次元にあるのかもしれない。だから、

物質への埋め込まれ方

イ　物質の振る舞いから情報が読み取れるもの

ロ　物質の振る舞いからは窺いにくいが、そこには情報があると考えられるもの

しかしイ、ロともにそこには情報があるのであって、それらはともに法則とされていることが多い。それらについてこれから見ていくことにしよう。

ところでなぜわたしたちが従来からある物質や力、あるいは物質同士の相互作用について事新しくそのようなことを言い立てるのか疑問に思うかもしれない。何も改めて物質に情報が埋め込まれている、あるいは隠れた情報があるなぞと言い立てる必要はない、すでに物理学や科学ではそれらは発見済みなのだから、という意見は極めて正当である。それはその通りである、としたうえでなおかつ、その法則とは一体何か、と、わたしたちは改めて言おうとしているのである。次の意見をお聴きいた

だきたい。

スティーブン・ホーキング

「われわれの現にある（宇宙の）状況に近づくためには、初期の膨張の割合は驚異的な精度で選びとられる必要がある。もしビッグバンの一秒後に、膨張の割合が一〇の一〇乗分の一だけ小さかったなら、宇宙は二～三〇〇万年後にはつぶれているだろうし、逆に一〇の一〇乗分の一だけ大きかったなら、二～三〇〇万年後には、ほとんど空っぽの宇宙になっていただろう。いずれにしても、生命が発展するだけの時間的余裕はなかったのだ」

（ジェイムズ・ガードナー『バイオコスム』佐々木光俊訳、50～51頁に引用されたホーキング「量子宇宙論」）

ブライアン・グリーン

物理学者の一般的な見解を借り挙げてみる。ブライアン・グリーンが語っている。

「物質と力の粒子の性質が少しちがっていただけで、宇宙はまるでちがった場所になっていただろう。例えば、周期律表に並ぶ一〇〇個ほどの元素を形づくる安定した核の存在は、強い力と電磁力の比率が厳密にこの値であることにかかっている。原子核にいっしょに詰め込まれた陽子は電磁的にはしりぞけあうが、ありがたいことに、陽子を構成するクォークの間に働く強い力がこの斥力に打ち勝って、陽子をしっかりつなぎとめる。しかし、二つの力の強さの比がわずかにちがっただけで、簡単に両者のバランスが崩れ、おおかたの原子核が分解してしまう。さらに、電子の質量が数倍あったとしたら、電子と陽子は結合して中性子を形づくる傾向を示し、水素（核に陽子を一個だけ含む、宇宙で最も単純な元素）の核はそれに飲み込まれてしまって、もっと複雑な元素の生成はやはりとどこおるだろう。星は安定した核どうしの融合に依存しており、基本的な物理に、こういった変更があれば、星は形成できない。重力の強さも星を形成する役割を演じる。星の中心のコアの物質密度は星の原子炉に動力を供給し、星の輝きを支えている。しかし、ちょうど、重力の強さが増したら、星はもっとぎっしり固まり、核反応速度が著しく高まる。ゆっくり燃える蠟燭より光り輝く炎のほうがずっと早く燃料を使い果たしてしまうのと同じように、核反応速度が高まると、太陽のような星ははるかに早く燃え尽きてしまい、私たちが知っているような生命の形成に破滅的な影響を及ぼす。一方、重力の強さが著しく下がったら、物質はかたまりをつくらず、したがって、星や銀河は形成されない。

さらに話をつづけることもできるが、要点はもう明らかだ。宇宙がこういうあり方をしているのは、物質と力の粒子に、現にあるような性質が備わっているからなのだ。しかし、なぜこういう性質が備わっているのかについて、科学的な説明はあるのだろうか」

（ブライアン・グリーン『エレガントな宇宙』林一・林大訳、31～32頁）

佐藤勝彦

もう一人、宇宙物理学者の佐藤勝彦氏の見解を引く。

「宇宙にある物質やエネルギーの量が、現在知られている量よりも少し多かったとしたら。宇宙膨張には強いブレーキがかかって、膨張は短時間で止まります。そして逆に収縮に転じ、最後には小さくつぶれてしまいます。このような宇宙では、生命が誕生し、進化するのに十分な時間が確保されない。当然、私たち人間は生まれないのです。

逆に、宇宙にある物質とエネルギーの量が、わずかに少なかった場合。宇宙の膨張速度が速くなるので、宇宙空間がどんどん広がります。こうなると、星や銀河のもととなるガスが重力によって集まる速さよりも、宇宙膨張によってちりぢりになる速さが上回ります。これでは、星は生まれず、人間も生まれないのです。……

そもそも、宇宙が人間を生むような条件を偶然に整える可能性は、どのくらいあるのか。すなわち、物質やエネルギーの量が偶然に調整される確率、陽子と中性子の結合力が偶然に最適化される確率など、いっさいを掛け合わせたもの。

それは、たとえば一〇の何千乗分の一といった、ほぼ起こりえない、極小の確率になると推測されています」

（佐藤勝彦『大宇宙・七つの不思議』２８７〜２９３頁）

以上三人の物理学者の記述を引用したが、つまりこれらの見解は物理学が蓄積した観測や標準模型理論といった整合的で検証を得てきた物理理論のなかであきらかとなったことであって、多くの物理学者の合意するところと言っていいであろう。

宇宙は、誕生して一三八億年になるとみられているがその誕生のごく初期に、測り知れない精妙な設計に基づいて生まれ今日に至っているというほかはなく、驚嘆しないではおれない。ワインバーグによれば初めの三分間で素粒子が生まれている。

自然の法則というのは何であろう。宇宙が現在ある姿になるのが、おのずから自然に為される確率が「一〇の何千乗分の一といった、ほぼ起こりえない、極小の確率になる」ならば、そのおのずから自然に生まれたとするその自然の法則が生まれる確率もまた同様な確率で、「ほぼ起こりえない、極小の確率」によってその絶妙な法則も生まれたと考えなければならない。この宇宙が現在のようになる確率がありえない確率であるということ、また物質の最小単位である素粒子の電子やクォークがもっているわずかな属性や働きが現在のようであり、それらが元素を作り分子を作り物質にいたり、現在の宇宙を作り出すにいたるという複雑で精巧な仕組みができる確率もまたありえない確率であるということであるという。

次に物理定数からも次のように言われている。

重力定数（G）＝６・６７×10^{-11}＝１千億分の7

この数字が数パーセント異なれば今の自然界はできない。もしちょっと大きかったら太陽は進化が早くてすでに死んでしまっているしちょっと小さかったら太陽の進化はずっと遅くなってわたしたちの身体を造るような元素の合成にまで至っていない。

熱運動の大きさを決めるボルツマン定数が今の何倍か大きければ、身体は安定を保てない（以上、桜井邦朋）。

ブライアン・グリーンはここで絶妙な宇宙の成り立ちとそこで働く精妙極まりない物理的な性質と法則性を説明しながら最後に付け加えている。「なぜこういう性質が備わっているのかについて、科学的な説明はあるのだろうか」、と。

ブライアン・グリーンのこの言葉は反語であり、事実を確証する学である物理学や科学は、事実が確証できさえすれば、それをなぜとは問わないのである。一般に科学や物理学のそれは役割ではなく、その問いは哲学的な問いとみなされるからである。ブライアン・グリーンの反語として残された問い、その問いを糾《ただ》したいというのがわたしたちのもとめるところである。


わたしたちは物理学や化学がなぜを問わなかったことを問おうとするものである。

さて、ここでアレキサンダー・ビレンケン達の言う宇宙偶然誕生説を取り上げるとそれが実に奇妙な説であることが歴然とするであろう。

そして一方、宇宙製作の意志あるいは宇宙製作の働きを思う時、それはむしろ自然な考えとならないだろうか。

いずれにしても物理学や化学が問わなかったことをわたしたちはこれから問おうと考えている。

さしあたってこれまで物質、主として物理学の対象範囲を念頭に置いて発言したが、それは化学の分野まで押し広げるべきであろう。いやそれにとどまらず他の科学分野、生物学の方まで、あるいは心理学の方までも広げることが可能なのではないであろうか。なぜなら、もし仮に宇宙製作の意志あるいは宇宙製作の働きといったものに出会うとすれば、それは物質にとどまらず生命にも及ぶからであり、物理学や化学に止まるわけにはいかず生命や人間心理といったものもまた当然その意志や働きと連関しないではおかないと考えられるからである。

「これらの法則や定数は、われわれのもつリアリティーの構成に埋め込まれていて、われわれという存在の本質に刺繍のように織り込まれているために、われわれの多くは超越的な知性の明らかな署名を見落としがちである」

（ジェイムズ・ガードナー『バイオコスム』48頁）

仕組みと法則

物質と生命、宇宙と自然について、現代の物理学や生物学で説明が極めて不十分なのは、物質の起源、生命の起源に関してであるけれど、それとともにその起源の最初に、なぜそのような仕組みと法則がその始まりにおいてあるのか、ということもまた、おおいなる不思議であり、現代の物理学や生物学では十分に説明できないことである。

素粒子があり、原子があり、分子がある、というとき、そもそもなぜそのような仕組みがあるのかと問うなら、現代の物理学ではそれが自然が持ち合わせた仕組みであるという。しかし自然はいったいどのようにしてその仕組みを獲得したというのだろう。なおそれを問うなら物理学者は、それは物質に付帯した性質であるという。なぜ物質の最小単位として素粒子というものがありそこには電子やクォークや光子があるのか、電子やクォークや光子である素粒子にはそれぞれに固有の仕組みがあり、電子やクォークや光子はどのようにしてその仕組みを獲得したのか。それを問うなら物理学者は、ビッグバンやインフレーション理論を持ち出す。ではなぜビッグバンやインフレーションにおいて、後の宇宙や物質や生命誕生に不可欠なそれら素粒子がまことに好都合に確率論として信じられない確率において絶妙に誕生することができたのであろう。しかし物理学や天文学、宇宙論において、それはそれ以上の追求があるのであろうか。現代物理学においては、素粒子論やインフレーション理論においては、なぜそのような仕組みが誕生しえたのか、その確たる原因は現在のところ解明されたとは言えない。ではその原因は将来解明されるのであろうか。科学は未解明の問題を将来の研究課題として先送りする。確かに、科学的な究明は時間をかけることによって少しずつあるいは時には一挙に解明されることがあるのも事実である。現に物質は分子から原子、原子核、そしてさまざまな素粒子の発見まで迫ることができたというのは事実である。これは現象を観察しそこに高速加速器など巨大装置を持ち込んで検証実験をもって成し遂げることができた成果である。だが素粒子をもって、それが物質の原因であるとは言いえてないのは、その素粒子の誕生の原因が明確にならなければならないからであることは今まで述べてきた通りなのである。

はたしていまここで問題にしたような起源の問題、始原の問題については科学は今後有効な成果をあげることができるのであろうか。

仕組みと法則こそがエイドス（イデア）である

古代の哲学に説明を求めるなら、おそらく、それは物質に付帯するエイドスとして説明されるであろう。その物質があるためにはエイドスが不可欠であり、もしそのエイドスがなく、物質のランダムで偶然な確率しかないなら、その物質がそうなる確率はほとんど見込めなくなる、と。ではエイドスとは何か。エイドスとはイデアである。

ウィグナーの理論によれば、陽子や中性子という明確なアイデンティティをもった素粒子は存在しない。理論に現れるのは単一の素粒子の陽子状態や中性子状態だけである。それぞれの状態は、中間子の放出や吸収を契機として入れ替わる。

「素粒子がもつ性質の詳細は、多くの人たちが科学のなかでもっとも深い問題と考えているもの、すなわち、『なぜ素粒子は、原子核反応が起こり、恒星に火が灯り、恒星のまわりに惑星が形成され、そんな恒星の少なくともひとつに生命が誕生するのにちょうどぴったりの性質をもつのだろうか？』という問題と絡まり合っているのである」（ブライアン・グリーン『宇宙を織りなすもの』下巻、青木薫訳、１６７頁）

わたしたちが言わんとすることはこうである。

電子には僅かの属性しかない。「電子は安定していて、構成要素がいっさいなく、したがって質量や電荷など、わずかばかりの特性を挙げるだけで完全にその特徴を言い表せる」（リサ・ランドール『ワープする宇宙』）といわれるほどであり、電子は陽子の一八三六分の一の質量（10のマイナス18乗㎝までは質量は観測されていないが）、電荷は負、それにスピンと呼ばれる角運動量という自転を行う、といったまさしくわずかな特性があるに過ぎない。そんなわずかな属性しか持たない電子が、もう一つのクォークとの数の組み合わせで、今日わたしたちの観測できるすべての物質のもとである一〇〇個ほどの原子のすべてを作っているという不思議。またさらに電子の働きとしては、原子同士を結合させ、分子を結合させもする。またさらに、宇宙に存在する四つの力の一つである電磁気力についてみるならば、電磁気力は光子の受け渡しによって生じるが、その光子は電子が放出するのであり、放出された光子が別の電子に向かって進むことによって電磁気力が伝わる、という仕組みを持っている。このことは前にも書いたが、この電子の縦横無尽な活躍は、物理学が示して見せる電子のわずかばかりの属性や相互作用だけでは到底理解できる限度を超えており、電子の活躍の縦横無尽さの摩訶不思議を説明できない。

率直に言えば、電子にはなお未知の力が隠されていると推理するのが妥当ではないだろうか。ただしかし、現代物理学においては、それは把握できるものとなってこないだけである、と。見えざる働きを考えなければ十分説明力を持たないのではないか、と。

そして、いま電子について見たけれど、そもそも電子のこのような働きや電子の働きが示す仕組みを、いったいどのようにして電子は身につけたというのであろう。物質の最小単位である電子という素粒子が、物理学において少ない属性で多大な働きをするその仕組みは、いったいただ物質である電子に付帯する属性というにはあまりに偉大であまりによく出来過ぎていると考えられるが、いったいどういう風にして電子はその偉大な力を備えもつことができたのであろうか。

そしてもし素粒子がそれに付帯して備えもった働きや相互作用を、その素粒子自体が身に備えたものであるという物理学の見解をそのとおりとして受け止めるなら、素粒子というものの偉大をどう理解すればよいのであろう。なぜなら、素粒子である電子や、クォーク等、そして力を運ぶグラビトンや光子等は、すでに現在の宇宙を構成するためにはまさに一部の欠損もあってはならず、その通りに作られていなければならなかったのであり、それは物理学の述べる宇宙の進化上完全によく準備されていたのであることは、物理学者も驚嘆する通りなのである。そのような計りえない叡智を宇宙誕生の瞬時のうちに備えもってそれら素粒子群が誕生したということは、もちろん確率上偶然では有りえないであろう、それがまっとうな考えである。つまり物質は只者ではない、物質の最小単位としての素粒子は叡智的である。このことを物理学者は説明できていないのである。

宇宙は叡智的であるという見解

宇宙誕生時の仕組みからして、つまり素粒子や力の粒子の誕生時からしてそれらが、単なる乱雑な偶然のなすがままではなく、宇宙誕生の最初からすでにして一種の仕組みを持ち、設計され、その後の宇宙進化のプログラムを持っていたと考えることの方が十二分に理にかなっているということであろう。

時空内の相互作用と量子次元の作用とがある

多くの化学反応は完全に時空内の相互作用である。この場合と量子の作用は異なる。時空内相互作用と、時空－非時空相互作用は異なり、時空内作用は化学や物理の相互作用として現れ、説明できる。時空－非時空の作用として起こる量子の作用は、量子物理学によって発見されているけれど、それは通常の説明ではその内容は満足な説明を持たない。わたしたちが生成場論を展開するゆえんの一因はそこにある。物理学、化学、生物学等の科学が対象とする現象は、その大半は時空内の事象や相互作用であり、量子論を適用すべき現象は多くないとみられているが、しかしそのもたらす影響力は無視しえない。

わたしたちはそれを真理論の視座から提起し、生成場論の観点をもって量子次元を説明する。そのとき時空内相互作用もまた生成場－現象界の視座から望むのであり、そのときそれらの現象の捉え方は物理学や化学や生物学とは異なった捉え方となる。科学のその捉え方は正しいだろうか。

物理学、化学、生物学等に現れる現象のほとんどはそれら科学の通常の説明で足るけれど、わたしたちはその説明の根本姿勢に疑義を呈する。

わたしたちの考えを前もって書いておこう。

電子やクォーク、光子や他の力を運ぶ粒子があらかじめ備えもった機能や働きを、ただ宇宙に鏤《ちりば》められた単なる最小単位の物質は、それ自身にとってあまりに大きな働きを、あらかじめ備えもっている。それらはインフレーション理論やビッグバン宇宙論や宇宙の今日に至る進化をそれ自身の作用や相互作用において形成していくものとして説明され、そこには、ただモノがあるということでは決してかなわない叡智があらかじめ付帯して働いているとしか言いようがない。確かに物理学が捉えるのはただ物質現象の事実の観測なのであろうが、そうであってもその物質現象が驚異でないとは言えない。その理由を物理学者は、自然の偉大さと言って済ませずにさらに根本から考えてみなければならない。

一方、わたしたちの直知からするなら、その物質の驚異の働きは、物質を導く本質世界からの働きとして認められるのである。その働きはすでに物質に内在されていると見えるのであるが、その内在された働きはそのまま、本質価値の破れとして物質に働きかけている本質世界の作用以外の何ものでもないのだ。

仕組みがそなわっている

物理学が発見してきた物質の仕組みは、物理学者の説明においては、それらは物質それ自身が備えもった性質でありまた物質同士の相互作用の働きであって、それらは物質が自体的に持っているものであるとされている。なるほどその説明がそれで間違っているというわけではないが、また正しいわけでもない。

アップ・クォークとダウン・クォークからなる、陽子と中性子からできている原子核、その周りを回る電子、これら物質を構成する素粒子に、力を媒介にする強い力、弱い力、電磁気力が加わって構成される原子。その電子やクォークの数の相違によって作られている今日段階で知られる限りのすべての物質を産み出す九十の元素——。宇宙にあってわれわれが知る物質の成り立ちがこれら僅かの素粒子から構成される九十の元素からできていることを一例としてみるとき、わたしたちは、それら素粒子の性質や相互作用について、物理学者が説明する説明に首肯する一方でまた驚嘆しないではおれない。

わたしたちが驚嘆するというのは、僅かの素粒子が自体的に備えもっていると説明されるその性質と作用である。なぜなら、わずかな素粒子が、知る限りの物質をすべて創り出す能力を、いったいどのようにして自体的に持つことができたのであろう。わたしたちはその素粒子の能力に驚き、それらが一三八億年といわれる宇宙史を通じて変わらず維持され、そればかりか宇宙誕生時まもなくにはそれら素粒子が作られていたとされることのその素粒子がそれ自身で持っているとされる能力に驚く。素粒子は叡智を持っているといわねばなるまい。物理学の説明によるなら、素粒子という最小単位の物質が叡智をもっている、というそのことをわたしたちはどう説明できるというのであろう。

そこで最初にそのことを一瞥しておくことにしよう。

「陽子と中性子とを結びつけている強い力と呼ばれている核力の強さを決める数ε（イプシロン）の正確な調整は、神秘的な賢者の石の自然の対応物である。およそ〇・〇〇七であるこの数こそが、ビッグバンのときにまき散らされた夥しい数の基本的な元素を融合させ、高校の化学で習うような周期律表の全元素を生み出していく自然の能力を説明するものなのである」

（ジェイムズ・ガードナー『バイオコスム』68頁）

核力である強い力は、われわれの日常生活からはかけ離れたもののように思える。それらの情報は階層ごとにあるようである。

素粒子の階層

素粒子中に埋め込まれて電子やクォークの振る舞いを規定する情報

電子の共益結合、イオン結合等を規定する情報
原子の階層
　元素表を規定する情報
分子の階層
高分子の階層
生命の階層
　ＤＮＡ（デオキシリボ核酸）、意思あるいは自発性
精神の階層

通常科学者は物質に現れてくる法則や相互作用は物質自身が備えもった性質であると説明する。しかし、では物質はどのようにしてその法則や作用を備えもつのかまでは説明しない。ただ物質にはあらかじめそのような性質や働きがあるのだという。だがそれらの法則や働きは驚くほどの叡智に満ちていて、ひとりでに物質が持てるようになるというものではないのが歴然としているのであって、驚嘆すべき例は一つや二つなぞというものではなく枚挙にいとまがない。ここでは一、二を挙げてみよう。

ワインバーグの宇宙の起源論でもいい、あるいは佐藤勝彦やアラン・グースのインフレーション理論でもいいが、それらはビッグバン理論の爆発直前に手を加えビッグバン理論の不十分なところを補うものであるがそれらによると宇宙誕生は超極微の一点から始まり一秒もしないうちに電子やクォー

クのスープを産み、三分経過すると電子やクォークなどの主要な素粒子が産出されていたという。今日宇宙論としてはインフレーション理論がなお問題をのこしながらもおおむね妥当性を評価されている様子であるが、それに基づいて、そのインフレーション直後に産出されたとする電子についてここでわたしたちは考えてみることにしよう。

そのようにして創出された電子の形姿や内容は一三八億年の今に至るまで変わらない。電子はよく知られている通り、原子核の外側を回って原子を構成する。電子は、原子核である陽子と中性子とともにすべての原子の構成要素であり、原子核を回って原子を構成する。原子は原子核の陽子と電子の数によって、世の中に存在する九十種の原子を創り出している。また電子は、原子同士を電子の最外周殻で結合することによって分子を作りだす。分子は電子の結合力によって多様化し複合化する。その複合性が巨大に複雑になったものが高分子である。どのような多様な分子もあるいは複合した高分子も、電子なくしては作られることがない。そのほか電子は電磁気として光を放出し、光とも緊密な関係を持つことによって力としての作用へと発展する。つまりこの世に存在するすべての物質に電子は不可欠で基礎的な関与をするし、また光を通じて力の作用までする。——さてこのようなことを電子について書き並べてわたしたちが言いたいのは、この、万物のすべてに関与するこの上なく重要な仕組みを造り出している電子であるが、ここで宇宙創成時に思いをおこし、そのことと電子の活動とを重ね合わせてみることとしよう。

現代の宇宙論においては、宇宙創成の一秒、あるいは多く見積もっても三分という極小の時間の裡で電子が創り出されていたということである。一三八億年という時間の中で電子の働きや機能はいったい何を意味するかということをここで改めて考えてみたいと思う。物質の法則や働きについて物理学者が言うように、それは果たして、物質がただそのように備えもった性質である、電子自身がおのずから備えもった性質においてできたのである、と言って済ませられるようなものではないとわたしたちは考えるのである。

一三八億年前の宇宙誕生時の最初の一秒内あるいは三分内において創り出されたとされる電子やクォークなど重要素粒子が、現在に到るまで何ら改変されず同じ姿・性質のままであるとされているけれど、そうであるなら、電子やクォークについては次のことがまた言えることとなる。

電子やクォークは宇宙創成時にその後に創り出される原子や分子や高分子やさては生命物質とされるたんぱく質等に至るまでの、一〇〇億年先をも見越した設計のもとに創造されたものであるということ、そういうことさえできるのではないか、ということである。

原子の構造や電子の振る舞いや電子の性質は、将来の有機高分子や生命物質とされるたんぱく質やDNAなどが作り出せるようにすでに電子創出時に見込まれていたと考えられはしないか。九十ある元素の、その構成の仕方や、やがて誕生する分子における電子による分子との結合方法である化学結合やイオン結合や金属結合の方式、またそれに続いて作られる高分子や生命誕生時に現れるDNAやRNA作成といったところまで見据えて、一三八億年前に生まれた電子は作られていたと受け取る必要があるのではないかということである。

電子がその誕生時の一秒の間に、あるいは誕生後の三分の間に、電子の誕生時にはまだ生まれていない原子や、その原子と共に創る九十の元素を読み込んで作られているということはもとより、その誕生時に生まれていない鉄や硫黄や炭素についても、電子においてはその設計が既に見込まれていたであろうということである。またさらには元素同士の結合による分子の創成はもとより炭素の高分子化合物についての予見があったであろうし、それはまたDNAに至るまでの予見や設計が持たれていたであろう。電子は宇宙の晴れ上がりと言われる三十億年後はもとより一〇〇億年後あるいは一三八億年後の宇宙の姿を予見し、その組成、その仕組み、その法則、その働き、他との相互作用はそれらの時間とともに訪れる変化を読み込んだ上で作られていたということができるであろう。宇宙の創成時に現在あるのと同じ内容をもった電子が作られたということは、今日ある宇宙が見込まれ、見通され、設計されさえしていたと言えるのであり、したがってわたしたちがここではっきり言っておきたいのは、それぞれの後発元素や分子や化合物や高分子化合物や生命物質と言われるたんぱく質やDNA、RNAだけでなく、それらが生まれる仕組みや法則もまたその段階ですでに見通されあるいは設計されて順次登場の時を待ってそれぞれの物質と一体であるような形をとってこの時間と空間の四次元世界に登場してきたものである、ということである。

電子という素粒子を見るなら、一一〇億年という時間も一三八億年という時間もないのである。そして物理的な仕組み、物理的な法則というのも、原子が誕生する前に電子がある意味においては見込んでいたのであり、原子における電子のパウリの排他律もすでに見込んでいたのであり、原子同士の結合である最外殻における結合という方法も見込んでいたのであり、したがって分子の存在もそれらとともに働く自余の仕組みや法則も、高分子の存在も、有機化合物の存在も、ＤＮＡもＲＮＡもそれらとともに働く自余の仕組みや法則もそのおおくをすでに、見込んでいたのでありしたがって生命の誕生も、そこで始まる新たな仕組みや創発についてもあらかじめ予見していたとさえいうことができるのである。

科学者はこれまで物質に現れてくる法則や相互作用は物質自身が備えもった性質であると説明しそれがどのように備えもつことになったのかについては答えようとしなかったが、いま見たように、電子ひとつとってみても、以上のように言うことができ、それは決しておかしな見方ではなく電子が一三八億年前の一秒または三分に造られたとするなら、その電子が一〇〇億年後に、あるいは一三八億年後に示している働きや相互作用や法則はまさに自然に上に述べた事々を示している以上の何ものでもないと言えるのである。

さてこのようにみるとき、物質が備えもったと言われる性質や法則や仕組みは物質がその誕生時前に、一〇〇億年後あるいは一三八億年後も見事に機能するように創造されたものであるということをはっきり言うことができるのである。

仕組み論の眼目はその仕組みはどのようにしてできているか、を示すこと。

電子の非局在性とは何か、それは、電子が量子場に隣接する非時空の生成場と通じ合っているということである。

生成場は電子をコントロールすることで、万物をコントロールできる。それができるのも電子が万物に隈なく存在しているからである。つまり、

- すべての原子は原子核と電子で構成される。
- 電子は電弱相互作用、電磁相互作用を行う。
- すべての元素は電子の数によって決まる。
- 分子は結合して物質を作るが、分子の結合は電子によって行われる。

それが、共有結合。イオン結合、金属結合という電子による結合方法である。また分子は高度化して高分子を作るが、もちろんそこには膨大な数の電子が含まれ、その膨大な電子に対して働きかけることによって作用することができる。

しかしここに現れているのはあくまで電子の目に見える働きである。原子も電磁作用も、光の作用も、共有結合も、イオン結合も金属結合も、電子が物質の隅々まで力や働きを及ぼしていることがよくわかるものである。そしてそれらは――生命で言うなら、あくまで生命装置を作るための材料やエネルギーをもたらすものである。それら材料やエネルギーはみな分子となってあるいは高分子となって物質に内在しているのである。たんぱく質や酵素やＤＮＡやＲＮＡとしてである。

これらはみな電子を通じてコントロールを行い、仕組みならびに法則として一方向的な命令で統御

する方法である。

わたしたちが特に電子に着目したいのは、その同じ電子が、四次元時空を超えて非局在性ではたらくものだということなのである。

それを窺うすべはないのか。――そこにわたしたちは神からの賜物である生命を見ようとするのであるが。

なぜそれが必ずやあると考えるのか。

その一――光の範型の真理論から

その二――仕組みが作られているのは何のためか

宇宙の仕組みは最初の三分間で創られている。

生命の仕組みは、イ、それもまたよく出来過ぎている。ロ、卵も鶏も同時に造ったものがいる。

以上に対しでは生成場はどう関係するか。ちなみに、生成場において本質世界が本質価値を生成するところであるが、そのことと電子はどう関係するか。電子は量子次元のレベルにおいては、非局在性を示し、そこでは時間に移行がなく空間に距離がないということが知られている。このことはそこでは生成場と電子の震源とが関係づけられていることが示されるのである。電子は生成場で起こることと関係することができる。これによって、生成場の価値やコントロールを電子の作用として創り出することができるのである。

そして注目すべきは、そこにおいては、単に素粒子や原子、分子に働くだけでなく、また、たんぱく質等有機高分子に働きかけるだけではないということである。そこではさらに、生命にも働くということも行われる。

悪、利己心、罪

ひとは超越的認識を得ることができるが、超越的に生きることはできない。本質直知はひとを超越的な認識に到達させ、絶対知を得させることができる。しかし認識において超越性を達成でき絶対知を知ることができることと、現実存在者として超越的に生きることを達成できることとは大きな懸隔があって、その懸隔は乗り越えがたい。なぜなら超越的認識、絶対知の獲得は時空を超えた霊魂の働きであるけれど、現実を生きるのは生身の身体・脳であるからである。生身の身体・脳は現実の生存を担い、現実の生存を担うべく人類の歴史的な遺産である生殖、捕食、闘争と共に歴史を育ち現在の人類へと受け継がれ、現在の人類の人体、機能、欲望をつくり上げている。そこには、悪、利己心、罪が必須のものとして纏わりついているのである。

認識

ひとはヒト固有の認識能力を備え、その能力に従って認識対象を認識している。五感による知覚を通じ、脳–神経系によって対象は捉えられ理解される。なかでも対象化認識と呼ぶ眼による外界の把握は主流で、神経系により伝達され脳による記憶などと連結され解釈的に把握される。ヒト以外の動物、昆虫あるいは植物等の認識能力はそれぞれ固有さを持ち、認識対象の把握や理解もそれぞれ特有と考えられている。

脳の際だった発達を遂げているヒトであるが、それでもその認識能力において認識対象や世界を把握する仕方はヒト種の固有性においてであり、果たしてどこまで認識対象や世界の実像に迫っているかはいうことが難しい（ユルスナール参照）。すなわち仮定として普遍的な認識対象や世界があるとしても、それにどこまで近接しているかどうかはわからない。

本質直知されるのは、通常は隠され決して顕れない真理が現れる出来事である。が、それは同時に、通常の認識が打ち破られ、通常は決して現れない、隠れて見えなかったものである魂が顕れるという出来事でもある。本質直知するのはその通常は全く知られないその魂が真理の受容器官として顕れ、働くということが起こるのである。「光の範型」として本質直知の認識を代表するひとびともみな通常は未知な魂の顕れについて語る。
（この時それまで隠れてその存在を知られなかった魂が顕れ出て、魂を通して通常の四次元時空も切り拓かれその真の姿が開示され露になったに違いない。それが大空に光が棚引き、光降る驚嘆する光景を見せているに違いない。）

そのような例は宗教の世界ではよく知られている。パウロの例は有名である。

「往《ゆ》きてダマスコに近づきたるとき、忽ち天より光いでて、彼を環《めぐ》り照《てら》したれば、かれ地に倒れ……。三日のあひだ見えず、また飲食《のみくひ》せざりき」

（聖書、使徒行伝、第九章）

宗教においては光の記述はまことに多い。例えば華厳経では、「光明は、仏身の毛の孔から放たれており、雲の湧きでるように尽きることがなく、十方世界に満ち満ちている。どこにいても、あたかも、すぐ目のまえに光明をみるようである」

（『華厳経』第二章盧舎那仏品）

本質直知の哲学が始まるところ

本質直知の哲学の始まりとは上にみたとおりである。このことをヘーゲルの用語において示すならすなわち絶対知から始まる、ということである。

第十章　生命と響動

いのち

いのちは、人間や動物、植物、その他生物が、彼らが独自に自分たちだけで所持しているのではない。生物はその生命体に、本質世界からいのちを賦与されることによって生きているのである。

霊体我と霊体部

霊体我は生命あるもの、意識あるものに備わる。霊体部は生命のないもの物質的な存在者、現象界の物質的なもの全体に備わると考える。

生命

スエデンボルグの生命。

「もしも人間の中の一閃光の生命でも人間自身のものであって、人間の中に在る神のものでないならば、天界はなく、また天界の中に何物もなく、かくて地上に教会はなく、従って永遠の生命はないと、天界から或る者が語る声を私はかつて聞いたのである」

（スエデンボルグ『霊魂と身体の交流』柳瀬芳意訳、26頁）

「愛そのものと智恵そのものとは生命ではなくて、生命のエッセ（本質）である」

（同書、28頁）

「人間は生命ではなくて、神から発している生命を受ける器であり、智恵と結合した愛が生命であり、また神は愛そのもの、智恵そのものであり、かくて生命そのものであることは前に証明した。ここから、人間は智恵を愛するに応じて、また愛のふところの中に在る智恵が人間のもとに在るに応じて、彼は神の映像となり、すなわち、神から発している生命を受ける器となる」

（同右）

――→神から発している生命を受ける器、それが霊体我である。

生成場のいのち

生命はそこでは霊的であり霊的な生命つまり『いのち』が四次元の身体の生命活動の大本をなしている。

生命といえば生物的生命をしか考えていないが、生命は生物的生命だけではない。その意味では、生命は大生命と呼ぶべきである。ここでいう生命とは本質価値の一つであるが、きわめて根本的な本質の一つである。大生命は本質世界からもたらされ生成場に溢れている。それは現象界にある生物に流れいっている。

生命と霊体

生成場がわたしたちに開かれたのは、わたしたちが霊体我となったときであった。霊体我はわたしたち自身であるけれど通常霊体我は隠されわたしたち自身霊体我を知らず、わたしたちは自我として四次元時空の現象界にあり自我として生きてきたのであった。いま生成場において他の生命、他の存在をみるとき、わたしたちはわたしたち自身が霊体我であるように、他の生命にも同様に霊的なもの、霊体としてのありようを感じ、その霊的、霊体としての他の生命と、わたしたち霊体我とが繋がっていると、そのように感じるのである。

わたしたち自身が霊体我であると認めることと、他の生命がそれに共通する霊的、霊体的なものであると感じることとは、それをどのように受け止めるべきであるか慎重さを要することである。

そもそも生成場から現象界を見るときただ現象界が見えるのではもちろんなく生成場に包まれ生成場の光を浴びて変容した現象界が見えるのであるが、その変容は隠されていたものが顕になるという形での変容であり、現象界の隠されていた姿としての他の生命の姿が顕になったとき、霊体我としてのわたしたちとその、生命たちとの強いつながりを覚えるというのはそれまで隠されていた他の生命の霊的、霊体としての存在が顕になり、その同じ同質な霊的、霊体としてのつながりが強く感じられ意識されたということなのである。

生成場に来ることができるのは、わたしたち人間であれば霊体我である。自我も身体も生成場に来ることはできないことは先述した。自我は生成場では消え、身体は四次元時空の現象界に残る、すなわちわたしたち人間が生成場において活動するのは霊体我のみであり、生成場から四次元時空の現象界を見るとき活動する霊体我がまず自覚され、身体は見えないわけではないけれど、その活動は霊体我の活動とは異なり霊体我に従属しいわば希薄になって見えるのである。

生成場から現象界にある人間を見るとき、だから身体はもちろんあるが、その身体は霊体我に付随してあるのであって、生成場にいないで四次元時空の現象界に在るときであれば人間はまず身体が見え霊体我は全く見えないということと対比すれば、その地位は完全に逆転しているといわねばならない。わたしたち人間における霊体我のこのような生成場に包まれた現象界のみえ方を考えるとき、これを他の生命に押し広げて類推するなら、他の生命との強いつながりは、他の生命がなんらかわたしたち人間の霊体我と共通しており、その共通性は生命の身体性やまた自我性にあるとは霊体我の例からして考えにくく、霊的、霊体的なものに在るのではないかと考える方が妥当性が高いというべきではなかろうか。そのような妥当性の範囲においてだから生成場に来る他の生命も霊的、霊体としてのありかたを、その身体以外にもっている可能性が高いといえるのではなかろうか。

そしてもしそうだとしたら、わたしたち人間が四次元時空の現象界にあるとき自分自身霊体我であることを知らないように、他の生命もわたしたち同様自分が霊的、霊体としての存在者としてもあるとは思いもせず知りもしないでそのような存在者であるかもしれないとも思われる。この辺のことは憶測になるのでこれ以上の言及は慎重でなければならないけれど、あるいは逆に、そのことを知り、自覚しているとすれば、知らないのは人間ばかりということになるのであろうか。

生成場において、存在者は霊体としてあるものが来る。物質は四次元時空の現象界にとどまり、わたしたち人間を例にして言えば、身体や脳は四次元時空の現象界にとどまり、霊体我が生成場に来る。同様にこれまで見たことはもとよりながら、推論を含めて理解したことが正しいとすれば、他の生命も同じようなことがいえるのではないかと考えられよう。

他の生命も霊体が生成場に来るけれど、その身体に該当する部分、物質を組成とするものは四次元時空の現象界にとどまるのである。

生成場と四次元時空の現象界を今全く別個に見ているけれど、実際に生成場の開かれた現象界においては生成場と現象界が重なり、生成場に包まれ生成場が織り込まれて変容した現象界が生成場とともに現れるのであるから、霊体我と身体、霊体と身体部分が切り離されちぎれて別のところに出現するというわけではない。それらは生成場に包まれ織り成された変容した現象界に、光を受け光に感応し光に応じる一つの霊的な対応をする生命として登場するのである。

ここに生命というのは単に生物的な生命ではなく、霊体を含んだ生命である。生物的な生命が基本的に物質に還元できると考えられるなら、それとは別に、非物質としての生命がありそれは霊的である。生命をもつもの一般もまた人間が霊体我と身体からなるように生物的生命と非物質の生命からなっていると考えられるであろう。そのような一つの生命として一体となって生命あるものが登場するのであるが、それを生成場と四次元時空とに分けてみればやはり、霊体の部分が生成場に来、身体の部分は四次元時空の現象界にあるということ、そのように見るべきであろうことは変わらないと考えられるのである。

生成場は、したがって生命あるものにおいては四次元時空の現象界から四次元時空の現象界にその身体部分を残したまま、霊体部分のみが来る場であり、またもう一方では、本質世界より光が流れ込み、すなわち永遠が流れ込む場である。

生命の身体、その物質性の部分を四次元時空の現象界に置いて、霊体の部分が生成場に来る。人間や他の生命は霊体我や霊体として生成場に来、本質世界から流れ来る光や永遠と接する。

さて、生成場が一方で、人間や他の生命の霊体を受け入れ、また一方で本質世界の永遠を入れ、霊体と永遠とを接触させ、さらには接触だけではなく感応交流させるという、そのことについて見てみよう。

本質世界から来る光と永遠とは、四次元時空の現象界との間には膜があってそのままではその光と永遠は現象界に流れ入りにくく、そこで生成場を必要とし生命は霊体として生成場に赴くことによってはじめて本質世界の光と永遠に接触しかつ感応することができたのであった。これはつまり永遠に接触し感応するには霊体でなければならないということであった。では、霊体が永遠に接触し感応するとはどういうことであろうか。ここでわたしたちが問いたいと思うのは、霊体と永遠の関係であり、四次元時空の現象界という時間と空間から脱してきた霊体と、一方本質世界の光と永遠という普遍なものとの差異と類縁性についてである。

しかしわたしたちはまだ本質世界についてほとんどなんら見ておらない現段階であり、また、霊体我や霊体についての吟味もまだ充分でない現段階で、この問いを問うのは材料不足というべきであり早計であるだろう。であればここではこの生成場というところが、ともかく、霊体と本質世界の永遠とを出会わせその接触と感応を実現させる場である、と、そのことだけを把握し、さしあたって、生成場のその性格についてそこをまず霊体のフィールドと呼んでおくこととしたいと考えるのである。

霊体我が自然を求める

本質世界からの本質価値の降り下りの中にあって霊体我は自然と響動する。本質世界に応答しつつそのことはまた他の生命、自然の霊体と繋がり響動することであるが、そのように響動したあり方が霊体我のあり方なのである。ひとが自然や森や樹木を求めたくなるのはひとの霊体我が活動している証拠でありひとが心を開いて霊体我に素直に応じている証拠なのである。

共同性とは

四次元時空の現象界においては、では存在者は個的存在としてのあり方以外とらないかと言えばもちろんそうではない。個的存在と共同存在は両立しないかと言えばそれはそうではない。現に個的存在者は家族、社会、国家等々それぞれに形態は異なるけれど何らかの形態において共同存在でありかつ複数の形態において共同存在であり、すなわちわたしたちは個的存在者でありながらかつ共同存在者であるという、それもまた厳然とした事実である。四次元時空の現象界にあってわたしたちは個的存在者でありなおかつ共同存在者であり幾重かに渡ってさえ共同存在者であるということは、わたしたちが如何に分節された個的存在者であるとしても、たしかに事実である。

ところでそのことの内実、四次元時空の現象界における共同性の内実を見ると、個的存在者が共同存在者となるには個的存在者の個的部分をなんらか減少させなければならず、個的存在者の個的部分をなんらか減少させなければ共同存在者とはなれないという相互の性格をもった、個的存在と共同存在との両立という仕方であるということができよう。個的存在者が共同存在をうるには自らの個的存在というものを何らか譲歩し場合によっては否定さえすることを意味し、共同存在者が個的存在者となるには共同存在の共同部分を譲歩あるいは否定しなければならないというのが、四次元時空の現象界における個的存在と共同存在の在り様であるといえよう。またこのことは個的存在者がより一層個的存在者であろうとすれば、共同存在なるものをより減少させ一層否定しなければならないというおしなべて個的存在と共同存在とは二律背反の関係にあるというのも否みがたいといえよう。

では生成場ではどうであろう。生成場におけるわたしたちは他のすべての存在者とともにみな個的存在者であるけれどもまた共同存在する存在者である。霊体我は霊体我として確かに一個の霊体我でありながら本質世界の光とつながり、本質世界の光の下に他のものみなと共同存在するものとしての存在者である。

生成場においてはわたしたちは本質世界の光と繋がっており、別の他の個的存在者も同様本質世界の光と繋がっており、そしてそれぞれに個的存在者であるけれど同時にそれぞれ共同存在である。生成場においてはものみなは個的存在者であるけれどもまた本質世界の光の下に同時に共同存在する存在者でもある。
本質世界の光の下では個的存在者であるがゆえに共同存在者である。生成場においては個的存在者であることが共同存在を侵害することはなく共同存在することが個的存在をすることを侵害することがない。個的存在者であればそれだけ共同存在者であり共同存在者であればそれだけ個的存在者なのである。

生成場においては個的存在と共同存在に二律背反はなく、個的存在と共同存在は同時にいっぺんに必ず成立していることである。個的存在者の側に立っていうなれば、むしろ繫がったあり方、結びついたあり方、それが生成場の個的存在のあり方であるという方がそれをよりよく表現でき適切であるといえよう。生成場においては、生成場そのものが共同性をその性格としているといったほうがだから正しいと言えよう。

すなわち四次元時空の現象界でわたしたちは他のすべての存在者が個的存在者でありそれというのもそこでは分節が必ずや働くからでありそれは四次元時空の現象界そのもののそれが性格であると言った方がより正確であるということができるのと、それはちょうど対比をなすことである。四次元時空では一般に知られている古典物理学の視点で空間と時間によって個的存在の占有する位置は決定し、二点が同一の位置を占めることはできない。人間においても彼が自我、主体、主観である以上は古典物理学的な影響下にあり、二つの個的存在が同一の位置を占めることが、難しい（しかし量子力学以降この視点は揺らいでおり、そのことは後に物理学との関係をとりあげるところで見るように共同性の問題とも関係してくる。たとえば非局在性といった事象がそれである）。

四次元時空の現象界においてはわたしたちは主体でありわたしたち以外は客体であり、わたしたちの見る世界はわたしたちにたいして対象的にある。このようなあり方の中でわたしたち分節された個的存在者はわたしたち以外のものに常に対象的に対峙し、対峙するあり方が常なるあり方であり、共同性も、その対峙のあり方が優先する中における共同性なのであった。


わたしたちが四次元時空の現象界において知るそのような分節や対峙は生成場では全く働いておらず、ただ存在者は個的存在でありながら共同存在するものとして、そのあり方こそが見事に個的存在を一層成り立たせていることになる。

霊体我は他の個的存在者と繫がっているという意識を強く覚える。他のひとびと、他の動物たち、植物たち、他の生命、そればかりか、世界それ自体と繫がっているという強い意識を覚える。その意識は、大地、山や川、他の星々、宇宙にまで広がっている。

そのように広がって繫がっているわたしであることこそ一層わたしであるという意識。だから生成場では、他の存在者を毀損すればそれはわたしを毀損することに他ならない。他の存在者をないがしろにすればわたし自身をないがしろにすることに他ならない。

生成場という場で存在するとは、個的存在と共同存在が一体必須なものとして成立しているということ、そのような性格を持った場が生成場であり、生成場を通じて再現する生成場の中にある現象界であるということである。

このことは後に本質世界について見るところで再度取り扱うことであるが、生成場というところがそもそも本質世界の光が直接に流れ込む場であるということ、そのことを映している顕れであるということなのである。

生成場それ自体が共同存在

生成場次元は時空次元を超えてある次元である以上、そこは時間と空間の制約がなく、また生成場次元には永遠が流れ込んでくる以上そこは有限性を超えたもの、すなわち本質価値が降り来る次元である。

生成場は時間と空間という限るもの、分限するものをもたない。このことは生成場に来る存在者についても、それを反映したものとして顕れる。

我はそこ生成場に来て、そこで自分が霊体我であることを悟り、霊体我はそこ生成場にあって、他の生命もまた、人間が霊体我であるように霊体であり、自己の霊体我と他の生命、他の存在者たちの霊体とが分限を超え限定を超えて存在していると知るのである。人間の霊体我も、他の生命の霊体も、それぞれに個体でありながらしかもその個体であることを否定せずに個体にとどまらず個体を超えて互いに繋がりあって響動しあっているのを知るのである。

わたしたちはさきに生成場の性格から霊体我や霊体がやむなく分限や限定を取り払われるかのような表現をしたけれども、それはより正しく言うならば、個別性に留まるものは生成場に来ないのである。分限と限定に留まるもの、個体に留まるものは有限な時空に留まる。したがって生成場に来ない。

しかしながら霊体我も霊体も、本来それぞれに個であるにもかかわらず個を超えてあるからこそ四次元時空を超えてきたのであり、本来四次元時空の存在でないからこそ生成場にあるのであり、霊体我や霊体がそれぞれに個でありながら個別性を超えてあるということがその本質としてあるというのが、それらが生成場にある本当の理由なのである。

霊魂の繋がりについて

個別霊魂が幾つも浮遊しているというのではなく、おおいなる霊魂があって、どの個別霊魂もそこへつらなっている。

生成場では霊的類縁性による距離がある

生成場には時間と空間がない。生成場にある存在者は霊体我や霊体であり、生成場を経由してみることができる生成場－現象界でありその生成場－現象界に存在する存在者であるが、生成場から見る限り霊体我は自分と霊的に類縁のものを親密、密接に知り、霊的に類縁の薄いものを親密さの薄いものとして感じる。

その意味では霊体我は他の霊体我や霊体を親密に感じ、物質を親密度薄く感じる。これは霊体を持っている生物を繋がっているものと感じることに現れている。

本質世界は宇宙の全存在者にたいし、霊体我にそのようにしたように、しかし霊体我はその中から多様な個別の本質価値を受容したように、本源的な、無分節な巨大豊穣の一つの本質価値を提示し、しろしめし、降り注ぎ、働かせている。

本質世界が贈る一つの巨大豊穣な本源的な本質価値をすべて平等に、公平に提示し、しろしめし、贈り続け、降らせつづけているのである。

贈るべきものについて贈る先についてひとも獣も虫も魚もその点でどこに変わりがあろうわけでなくどこに差があろうわけでない。人獣虫魚に何ら差がないだけではない、草木にもなんら差がなく、山にも川にも星にも月にもまた差がなく、ありとあらゆる存在者に差がなく平等に公平に本質価値はその本来の本源的な一つの巨大豊穣な価値を提示ししろしめし降り注ぎ贈与し働いている。本源的な本質価値は人獣虫魚山川草木星辰全て至らないところはなく至り、同じきものを同じように贈り続けることによってその働きを全うしている、それが本質価値の実相なのである。

わたしたちは霊体我として生成場にあるとき本質世界の提示ししろしめし働くその本質世界にたいし応答する。しかしそのように応答するのはひとり霊体我だけではない、他の存在者もまた応答している。霊体我は本質世界への応答をなしつつ同時に他の存在者もまた本質世界への応答を繰り返している様を目撃する。どの存在者も一様に本質世界の提示ししろしめし降りくだる本源的な本質価値に呼応して、ざわめきたち伸び上がり熱気の清浄な炎を放っている。

生あるものはひときわ大きく生なきものも静なりに降り下る本質価値に呼応しまた歓呼し生成場は本質世界と存在者との交歓の場となっている。

霊体我はもとより、他のもの、獣、虫、魚が呼応し、草が呼応し木が呼応し、光とともに呼びかけるがごとく降り下る本質価値に対し熱いものを発しつつなかには自らもまた小さな光の炎を上げて通い合っている。

本源的な本質価値のどの価値に彼らが応じているのかそれはわからないながら、けれど人間の霊体我が呼応するその本質価値でさえ、それらもまたどれ一つとして獣、虫、魚、草、木に不要なものがあろうとはいえない。

本質価値は人獣虫魚草木を選ばずその価値を贈って雨と降らせているのであり、獣虫魚草木が本源的な本質価値のどの価値に呼応するにせよ、ひとと変わりない生あるものがひとに向かって放たれる本質価値と同様のものを受容して何の不思議があろう。

ひとにその多様な本質価値が要るごとく獣虫魚草木に不壊の愛は要る、獣虫魚草木に無限の慈悲はいる、獣虫魚草木に根元なるいのちはいる、獣虫魚草木に聖なる創造はいる、獣虫魚草木に永遠の美はいる、獣虫魚草木に完全なる調和はいる、獣虫魚草木に完全なる平安はいる、獣虫魚草木に完全なる秩序はいる、獣虫魚草木に普遍の善はいる、獣虫魚草木に絶対の叡智はいる、獣虫魚草木に聖なる至福はいる、獣虫魚草木に聖なる喜びはいるのである。

ひとには知れないさらに善きものをあるいは受容しているかもしれず、生成場は光とともに降り注ぐ本質価値とその本質価値に呼応し歓喜して受容する彼らとの一大交歓と響動の場なのである。しかも山も川も星も月もその響動に静かな響きによって呼応し参画し、なべて存在するもので参画しないものはない。宇宙が宇宙を挙げて本質世界を提示ししろしめす様にそれらは呼応し交流し歓喜し響動している、本源的本質価値に呼応して響動している。

生成場の全体が挙げて響動するとき、本質価値が光とともに際立ち生成場はとりわけ不壊の愛の光に満たされ、無限の慈悲の光に満たされ、永遠の美の光に満たされ、完全なる調和の光に満たされ、完全なる平安の光に満たされ、普遍の善の光に満たされ、聖なる至福の光に満たされ、聖なる喜びの光に満たされる。

そのように満ち渡る光の中で生成場の全体が響き合いその響きの中ではすべてが共に在る共同の存在者となっている。

本質世界の光を浴び本質世界の光のなかでなべて存在するものは本質世界の下に共にあることを喜び、存在者同士離れても切れてもおらず結ばれた一つの響動する存在者として本質世界の下にあることを喜んでいる。それはまた本質世界によってひとがつながり獣がつながり虫がつながり魚がつながり、人獣虫魚が本質世界によって一つに繋がった存在となっているのである。山川星辰もそのつながりに参画して静かな響動を伝え、共にひと連なりのものたちとなっている。

人獣虫魚山川星辰、それぞれの存在者はそれぞれに分離しているのではなく繫がり、個は孤でなく繫がり、存在者は結ばれ、個は結ばれている。

本質価値の降る愛は広がって存在者同士を繫げ、降る慈悲は広がって存在者同士を結び、降る調和は広がって存在者同士を調和させ、降る平安は広がって存在者同士を平安へと結ばせ、降る至福は広がって存在者同士を至福で祝わせ、降る喜びは広がって存在者同士を互いに喜び合わせている。

かくして個々の存在者は本質価値によって個々であることを解かれ、孤を解かれ、孤立から解放され、繫がり結ばれ、共同なる存在となって本質世界の下、相和して、響動しないものはない。

響動し響きあうもの同士

生命あるものは霊体として本質世界の下に互いに響きあうもの同士となっているのである。本質世界から降り注ぐ光、本質価値を受けつつ、霊体我も霊体もただ我として受けるのではなく、それぞれその本質世界の贈与を受容しつつ、互いに、他の霊体同士、本質価値の歓喜を、至福を、愛を受けつつその受容の喜びを伝え合い震わせ合っている、響かせあっているのである。

霊体我、霊体の共同性格

霊体我、霊体が生成場にある、あるいは生成場に来る、ということはそれが時間、空間を超えて非時空である、ということであるけれど、そのことはまたそれがそれぞれ個別であるとしてもただ個別であるというに留まらない個別性を超えたものをもつということである。

霊体我は他の霊体我、他の霊体と繋がっているという強い悟りを得る。その繋がりは自己というものが単に自己という孤立したものではなくつながってあるものであるという、そのような悟りである。第一に本質世界との繋がりであり、その本質世界の下にあってはじめて霊体我であるという悟りであり、そしてまたその本質世界の下にある自己である霊体我は、他の存在の霊体我とも繋がっているという悟りである。すなわち自己である霊体我は本質世界の下にあって本質世界とのつながりを持ち本質世界の下にあって他の霊体と繋がりを持ち、そのように繋がりをもったあり方においてはじめて霊体我であるという悟りである。すなわち霊体我とは、ただ単独な自己の霊体我というものではないのであり、ただ単独な個体である霊体我というのではあり方としてない。

生命と霊体と繋がり

生命の反対は死である。死は動きを停止した生命であるが、では動きさえすれば生命であるかといえば機械で動くものは生命ではない。生命であるためには機械的ではなくそこに意がなければならない。つまり生命の条件には意があることが必要である。意とは他動によらないで動きうる何らかの自発性を意味する。つまり生命とは何らかの自発性をもって動くものである。

生命をもつものは霊体を持つとわたしたちは見てきた。霊体は個々の独立性を持った個的存在である。しかし生成場において生命あるものの霊体を見るならば個々の霊体はそれぞれ独自に個的存在であるけれどそれらはまた他の個的存在との繫がりを示し、その繫がりの共同性を明確に示しているのである。つながりとは結びつきである。個的に独立していながらそれであることはまたそれぞれが他の個的存在と結びつき共同性を示すことである。霊体は他の霊体と結びつき繫がっている。

本質価値と共同

本質世界が生成場に、そして生成場を経由して現象界に贈与する本質価値は、その多くが共同に関わる価値である。それを見るなら次のとおりである。不壊の愛は共同に要る、無限の慈悲は共同に要る、完全なる調和は共同に要る、完全なる平安は共同に要る、完全なる秩序は共同に要る、普遍の善は共同に要る、絶対の叡智は共同に要る……。このように列記するとおり本質価値はわたしたちの世界とわたしたち存在者のあり方が共同存在というあり方であることを前提とし、それを前提としているがゆえに共同に関わるこれだけの本質価値を贈与してくるのだと理解することができるのである。

「わたしたちは繫がった生命を苦しませることはできない」

牛や豚を――烈しく苦しむ――彼らを屠殺し虐待することはできない。

共同性

共同性とは存在者全部の共同性のいいである。本質世界に照らされた世界はものみなが繫がっている。本質世界に照らされたものみなはそれぞれにありながら、不可思議にもそれらの境界が取り払われており、境界がない。本質世界の無分節性が及んで、存在するものもまた本来無分節なのである。共同性とは、世界と世界にあるものみんなの共同性なのである。

これに対し人間は共同性を人間だけのことであるかのように考えるであろう。しかしそれは大きな間違いであり、宇宙にあるものみなが繋がっておりそれぞれありながら境界を持たずにあるのである。共同性は必須のことである。人間同士の共同性はもちろん、人間と家畜、動物、植物、その他のもの、地球、地球外のもの、宇宙は共同するもの、いや現に共同しているものなのである。

共同存在でなければ滅びる

人間が自然の共同存在者として逸脱すれば、そのとき人間は滅びる。

共同性——牛、馬、豚、羊、鶏

人間は大きな罪を犯し続けている。家畜といわれる牛、馬、豚、羊、鶏といったずっと人間に寄り添って生きてきたこれらの温和な動物をどれほど虐げ殺戮し続けていることか。使役し酷使し、食料として殺戮し続けている。人間が犯しているもっとも大きな罪である。とりわけ食料として殺戮する人間の残虐さは許されはしない。ただ食料にされるためだけに生まれてきたこれらの動物の哀しみを思え！　若く育つと直ちに虐殺されるこれら動物たちの悲劇を思え！　しかも殺される直前まで檻の中で苦痛な飼育をされる痛ましさを思え！

共同性はこれらの動物とともにあることであったはずである。これら動物たちとともに生きる喜びであったはずである。

共同性――人間に近づいてきた動物たち

牛、馬、豚、羊、鶏、それに犬、猫――これらの温和な動物たちは共同性を感じている動物たちで、彼らは進んで人間に近づいてきた。ところが人間は何をしたか。牛、馬、豚、羊、鶏を食料にするために飼育し虐殺し続けている。人間はなんと残虐な生き物であることか！

共同性→平等

「平等」という意味もこの共同性に続いて派生してくる。しかし人間同士が平等という意味だけではすまない。他の動物とも植物とも他の自然とも、そして地球、他の星それらとも平等であるのだ。

共同性→全体、調和

共同性は宇宙全体のものみなが繋がっている、個々にそれぞれが存在者としてありながら、しかしそれらは境界を取り払われており、それぞれが他を迎え歓迎している。己だけという境界がなく、他と共同であることを喜んでいる、そうすることで調和でき、成り立っている。

共同性、全体性、調和、秩序、平等、愛

現象界の存在者はこれら共同性、全体性、調和、秩序、平等、愛が本質価値として輝き、生成場とともにあるとき、それは何一つかけたもののない存在のあり方においてあるということが実現されていることを知るのである。

共同性——他を虐げるのは過ちである

存在するものは他を虐げてはならない。人間は生きるために何でもしている。虐げているという自覚なしに。

生きるために他の生命を食べるということは仕方がないことだけれども、虐げてはならない。

共同性、平等→他の生命の尊厳

人間は自分と同様、他の生命、他の存在者にも尊厳があることを忘れている。

繫がっている

自我—主観—主体が無我を経て取り払われてみると、わたしは霊体我であり、霊体我であるわたしが見る世界は、対象として前にあるのではなくして、あるのである。そこに木があれば木と、そこに山があれば山と、そこに雲があれば雲と、霊体我のわたしは繫がっている。その繫がっている木も山も雲も木であり山であり雲でありながら木を超え山を超え雲を超えてわたしを超えたわたしとつながっている。そしてわたしがある四次元時空の現象界もただの四次元時空の現象界ではなくそのただの四次元時空の現象界を超え生成場に包まれ、わたしと木と山と雲と繫がっているのである。わたしはわたしでありながら身体の被膜に遮《さえぎ》られておらず木も山も雲もそれぞれがそれぞれでありながらそれらを限るものによって遮られておらずそれぞれを超え出て生成場によって開かれた現象界の中に打ち開かれて個別のものに留まってはおらず個別のものであることを超えて互いに繋がっているのである。

繋がっているとは、わたしがいま木を傷つければそれはすなわちわたし自身を傷つけることであり山を傷つければそれはすなわちわたし自身を傷つけることであり雲を傷つければそれはすなわちわたし自身を傷つけることであるという、そのような意味において、わたしは木と、山と、雲と、繋がっているという意味である。わたしが木を燃料として燃やせばその分わたしはわたし自身をいくばくか燃やし山を切り出して鉱物を採掘すればわたしはその分わたし自身をいくばくか切り出し雲を蹴散らせばその分わたし自身をいくばくか蹴散らしている。わたしたちがもし鋭敏なこころを持っていれば木を切るとき山を削るとき雲を蹴散らすときあるいは気付きにくいなかにも心のどこかが痛みを感じているのを知ることがあるかもしれない。わたしたちは表面何ら傷つくことはないとしても、わたしたちが繋がっている以上、木につけられた傷、山につけられた傷、雲につけられた傷は、わたし自身についた傷なのである。

共同体の主役は自然である

わたしたちがこれまで共同体といってきたのは人間社会のことだけであったが、これは正しくない。人間社会も共同体であるが、その人間社会もまた本来の共同体の一構成体であり本来の共同体の一員なのであり、本来の共同体の主役は人間ではなく自然なのである。わたしたち人間は自然という共同体の一構成員なのである。わたしたちは自然という山や野や川や海や樹木や草やそこに暮らす象やキリンやゴリラや蛇やオウムや鷲やカラスやしじゅうがらや犬や猫や牛や豚や馬やトンボや蝶や海の生き物である鯨や鯛や鰯や川のドジョウやヤゴたち無数の生命あるものたちの自然の、さらに生命なきものといわれている岩や土や星や雲や雨や空気といった自然の、彼らが主役である自然のその一構成員なのである。わたしたちは本来の共同体について、いまや改めて学びなおさなければならない。

自然や動物が喜びをもたらすわけ

わたしたちは思い起こさねばならない、野や山や川や海に出かけていったときの喜びを。わたしたちは思い起こさなければならない、犬や猫たちと過ごしているときの安らぎを。なぜわたしたちは野山や山川、海が楽しく樹木や花に喜び、また犬や猫に慰められるのかを思ってみなければならない。それはわたしたちが本来響動存在だからであり、共同存在だからである。わたしたちは通常は目に見えないが自分の命が野や山、川、海、木や花のいのちとあるいは犬や猫のいのちとともに響きあう存在同士だからなのである。このことが明確に判明するのは光の生成場に行くことによってかもしれないが、わたしたちは現に喜びを味わうことによってよく知っているのである。わたしたちの命は孤立して単独にあるのではなく自然と繋がって響きあっているのであり、わたしたちが自然や動物たちと触れ合うとき、そのときまさに大きく響きあって喜びを味わうことができるからなのである。それがわたしたちの本来の命のあり方であり決して孤立して単独で命があることはないことの証なのである。

自然は霊体をもっている

自然はいのちあるものの場所である。山や野や川や海はいのちあるものたちをはぐくむ場所である。いのちあるものが霊体をもっているがそれらをはぐくむ場所もまさにさまざまな霊体をもっているものたちの集まりとして霊体を感じさせずにはおかない。その霊体が皆繋がり響動し合うのである。

自然が生態系をなす理由

自然が生態系をなしているのは自然が響動存在だからである。自然の生命はいのちであり、いのちは単に生物的生命ではないということである。自然は生物的生命に留まらずその核心は霊体であり自然が霊体として響動存在だからである。自然は響動しあうもの同士として成り立っているのであり単独で成立しない、それがわたしたちの地球で生態系として示されている。

すべての生命は人間の親類

進化論が明らかにしたところでは、人類は七〇〇万年前類人猿から分岐して人類へと進化の歩みを踏み出したのであるが、類人猿はまた地球における原初の生命の誕生以来の生命進化の歴史を辿って類人猿へとなったのであった。人間が妊娠し母体の中に生命を育む過程はまさにその生命進化を辿り十ヶ月の胎児の生育はまさに魚類から哺乳類へと形態を変えながら人間の児として出産を迎える。人間の誕生の中にはすべての生命の系統があり、すべての生命が親類として連なっているのである。

「繋がっている」という生成場における強烈な提示はさまざまに現れるが、進化論が示すこともその繋がりの一つであり、そこではすべての生命は人間の親類であり、すなわち親類としての繋がりを明確に示していることである。

生命への畏敬

シュバイツァーが生命への畏敬について語るとき彼は敬虔な宗教の僕として語っている。道徳や倫理をさらに超えたところから語っている。だからもちろん生態学といった見地が顧慮されていることもない。

道徳や倫理、生態学的な見地が結局近似の見解を述べるとしても——事実そうであろう——、生命を畏敬として認識することはそうたやすく他の理由と融合させるべきではない。なぜなら、それは厳然として別格の深みから汲まれた理由だからである。

わたしたちはシュバイツァーの畏敬の立場に共感しそのこととわたしたちの言説との類似について語る。

生命は本質世界がわたしたち人間や動物、植物、微生物、細菌などに与えたものである。ところが一般には人間の生命は人間自身が、動物の生命は動物自身が、他の生命もまたその他の生命自身が自分たちの力と手によって産み出したものであると考えている。通念も現代の科学もそのように看做している。ここには道徳や倫理や生態学はあっても畏敬は生じない。

生命は本質世界がわたしたちやその他生命をもつものに生命を与えたのである。生命は本質世界が生成場を経つつわたしたちの現象界に贈与したものであり、生成場において生物的生命としてわたしたちとその他の生命をもつものを生み出して現象界に送り出したのである。本質世界はそのようにわたしたちに生命を贈りわたしたちの生命を誕生後に老いても見守り育んでいる。生命は時空の生物や微生物が自分たちだけ生んだものでもなく自分たちだけで育てたものでなく、本質世界から授かったものなのである。

生命は必要があって本質世界から贈られたものであり、その生命がどのようなものであれ、本質世界のものなのであり、人間のものではない。畏敬の由来はここにある。

孤立した生命はない

ここでは生命（霊的生命＝いのち）の相互作用性をいう。

生命

響動、響き合い動きあう――、

このうち「動く」ということは生命的である。しかし機械的に動くならそれは生命的ではない。生命とは何か。自発的な動き、ではないか。

量子場の自由意志

ウィルチェックが量子場の自由意志、というときわたしたちはそこに生成場の力を見る。生成場と生命との関係は未記述であるが、ここで言う生命は生物的生命ではなくその前のいのちであり、本質世界のものである。

階層共同体

現象界は本質世界を時空に投影した階層からなるそれぞれの共同体によって構成されている。宇宙共同体、超銀河団共同体、銀河団共同体、銀河共同体、惑星共同体、地球共同体、自然共同体、生命共同体、生物共同体、人間共同体、人体共同体、細胞共同体、分子共同体、原子共同体……。

そしてこれらの階層共同体はそれぞれの階層共同体ごとにその内部において独自の秩序をもって構成され活動している。またそれぞれの階層共同体は全体としてはその上位にある階層共同体に所属しその一部として、上位共同体の秩序にしたがっている。

繋がりの現れ

「生態系」は現象界における繋がりの現れである。

原子の内部構造は繋がりの現れである。原子核、電子。

原子－分子は繋がりの現れである。一〇〇個の元素が物質分子を作るのは繋がりの現れである。横に見るなら元素を入れ替えれば別の物質分子ができる。

原子－分子－物質の階層関係は繋がりの現れである。それらは入れ替えて別の物質になる。

素粒子から細胞への関係は繋がりの現れである。入れ替えれば別の細胞になる。細胞から肉体への階層関係は繋がりの現れである。入れ替えれば別の肉体になる。そればかりか、どの物質もどの生物も電子を入れ替えクォークを入れ替え、また、原子を入れ替えて、自在に互いを交換できる。

重力は星を繋げ小さな物質を繋げる。

宇宙というシステム

宇宙は一つのシステムである、というときこれは星、惑星、銀河、銀河団、超銀河団の相互の繋がりと関係を語る。

どの電子も一緒

わたしを構成している電子とわたしの敵を構成している電子は同一の源から生まれた電子であり、生成場から一緒に誕生したものである。

人間の身体に含まれる原子は、一〇〇万分の一秒ごとに何兆個も置き換わっている。

共同性

共同性とは存在者全部の共同性の謂いである。本質世界に照らされた世界はものみなが繋がっている。本質世界に照らされたものみなはそれぞれにありながら、不可思議にもそれらの境界が取り払われており、境界がない。本質世界の無分節性が及んで、存在するものもまた本来無分節なのである。共同性とは、世界と世界にあるものみんなの共同性なのである。

これに対し人間は共同性を人間だけのことであるかのように考えるであろう。しかしそれは大きな間違いであり、宇宙にあるものみなが繫がっておりそれぞれありながら境界を持たずにあるのである。共同性は必須のことである。人間同士の共同性はもちろん、人間と家畜、動物、植物、その他のもの、地球、地球外のもの、宇宙は共同するもの、いや現に共同しているものなのである。

われわれがあるあり方は、世界と対峙したり、対峙したものみなと繫がってあるあり方が真であると示されるのである。

繫がっているとは、それらと共同存在であるということである。われ、というものが単独であるのではなく、世界と、ものみなと繫がって共同者として切っても切れないものとしてあるあり方が真であるということを知る。

生成場から本質世界が見える。本質世界は多くの本質価値を腹蔵し本質価値は生成場に放射されさらに現象界へと展開される。そこでわれわれは本質価値と現象界について考えるのであるが、そのとき、必ず生成場を含めて本質価値を考えなければ、本質価値を考えることにはならないのである。

粒子

「宇宙に存在するすべての電子は、まったく同じで区別がつかない。すべての電子は、同じ質量と同じ電荷をもち、弱い核力と強い核力にかかわる性質も同じなら、スピンの値も同じだ。（……）電子にはこれ以外の属性がない。つまり、すべての電子はこれらの性質に関してまったく同じであり、それ以外に考慮すべき性質をもたないのである。同様に、あるひとつのアップ・クォークは他のすべてのアップ・クォークとあらゆる点で同じであり、あるひとつのダウン・クォークは他のすべてのダウン・クォークとあらゆる点で同じであり、あるひとつの陽子は他のすべての陽子とあらゆる点で同じである。このことは、どんな種類の粒子についても言える」

（ブライアン・グリーン『宇宙を織りなすもの』下巻、青木薫訳、３００頁）

繋がりは階層ごとに現れる

小は電子やクォーク、大は宇宙。

食物としての他の生命

生命の平等、生命の尊厳、生命への愛、非虐待——このような概念が困難を覚えるのは、生命は他の生命を食物とするという一事である。本質世界は、生命の平等、生命の尊厳、生命への愛、非虐待を示すのに、一方、人間をはじめ生命はつねに他の生命を食物としなければならないからである。

生きるということと本質世界にのっとって愛の原理に倣うということとが、衝突するのはなぜか。わたしたちは生きるために食べなければならないがそれはどういい繕っても他の生命を殺すことである。生きるとき悪を犯さなければならない、生きるとき罪を犯さなければならないという問題をどのようにすればいいのか。――肉食を避ける仏教の道は現実的な解決策である。

愛

愛とはいたわりである。いたわりたいという思いである。

愛とは自分をささげることである。自分をささげたいと思うことである。

愛は自己否定である。

幸福、喜び

幸福というのは、幸福感という感情を感じることが必要だ、とひとは思うであろう。ところがここで言う幸福はそんな感情ではない。

幸福、喜び、それらはここでは人間のものではない。

本質世界が蔵している幸福、喜びが、地上に降りてくるのである。

ひとが知っている幸福や喜びとは桁違いに巨大な幸福と喜びが、降ってきて、ひとを襲うように見舞うのだ。

――→幸福、喜び、愛、などは人間や動物の感情によって生じるという考えは四次元内で作動する限りのものでしかない。本質世界から来るものは、人間や動物の感情がそれに似せて作られているその根源のものであり、圧倒的に純粋で巨大で絶対的である。

ウィトゲンシュタインは『論理哲学論考』の六・五二二において言う。「だがもちろん言い表しえぬものは存在する。それは示される。それは神秘である」（野矢茂樹訳）。

本質直知の哲学とはまさに正反対の、思考による明晰さを追求しようとする立場に立つウィトゲンシュタインのこの言葉は本質直知の哲学を三点に要約して正確である。

　言い表しえぬものは存在する
　それは示される
　それは神秘である

言い表しえぬものとは、ウィトゲンシュタインが用いた分析的理性によっては見出せない存在の謂いであり、それはしかしある、と彼は直観においては知ることができるという。それはしかしながら理性による思考によって発見できるものではない。それは思考外から、「示される」という形で訪れるものである。そしてそれは通常の認識を超越した「神秘」として顕れるものである、と要約は語る。

本質直知の真理論は、ウィトゲンシュタインの要約どおりであるがゆえに、真理を見るという驚嘆すべき認識経験であり、それは思考による哲学とはその出自が全く異なっている。だからウィトゲンシュタインは同書の最後で言う。「語りえぬものについては、沈黙せねばならない」。

言い表しえぬもの、それが存在することを直観において肯定するにもかかわらずウィトゲンシュタインがこの語を最後に置くのは、彼に、「神秘であるもの」が「示される」ということが起こらなかったからである。「神秘」も「示される」ことも、理性による思考によっては切り開くことができるものではない、そう彼は知っており、それ故に彼は「語りえぬものについては、沈黙せねばならない」と断念する。

惜しむらくはウィトゲンシュタインが自らの直観は信じながら、その直観を追跡しなかったことである。なぜなら現代の科学者たちのあるひとびとは、直観によって「神秘」が示されるのを見抜き、それを解読しようとするからである。アインシュタインは次のように語っている。

「自然法則のハーモニーがもたらす桁はずれの驚き、そこには卓越した知性が開示されている。それに比べると、人間のあらゆる組織だった思考や行為など、まったくもってとるにたらぬ考察にすぎない」

（ジェイムズ・ガードナー『バイオコスム』48頁に引かれたアインシュタイン『イデアとオピニオン』）

真理論に何ができ、何ができないか

ウィトゲンシュタインの「語りえぬものについては、沈黙せねばならない」というフレーズは彼の論理学の性格を言い表している。そのフレーズは語りえるものだけに限定された論理学であり、語りえるものの範囲における論理の構造を明らかにするというものである。しかしそれは語りえぬものを放棄し、語りえるものの範囲で論理の正誤を言うにとどまる結果、人間の認識の深淵には届かない論理であり、深淵から発する論理の根拠に対しては、それを問わない探究に留まるものとなっている。

真理論はしかしそうではない。

解説／跋／弔辞

◉解説

生きて躍動している言葉たち——『直知の真理』の編集に携わって

小坂国継

市井の哲学者桶本欣吾は不治の病と闘いながら、二種類の真理論を遺して逝った。それを是非とも出版してほしいというのが生前の故人の強い遺志であった。それで御家族の希望もあって、私にその編集業務を委託された。桶本とは長年にわたって交遊を結んでおり、また大学で哲学を講義してきたので、周囲の人からは適任者と見られたのであろう。私自身も友情の証として、喜んでその任を引き受けることにした。

御家族から送られてきた原稿の表題には『真理論Ⅰ』と『真理論Ⅱ』と記されていた。おそらく『真理論Ⅰ』を書いて、その後で、あるいは途中で、『真理論Ⅱ』を書きはじめたのであろう。分量的にはほぼ同量であるが、どちらも完成原稿ではない。その一々を仔細に比較対照することはできなかったが、多くの箇所は重複している。したがって二種の草稿をともに出版することは断念せざるをえなかった。分量的にも膨大なものになるし、またそうすることにどんな意義があるのかいささか疑問に思われたからである。

そこで、問題はどちらの原稿を採用するかである。故人がどちらの原稿を刊行するつもりであったのか、直接、本人に確認することはできなかった。常識的にいえば、『真理論Ⅰ』の後に『真理論Ⅱ』を起稿したのであろうから、当然、『真理論Ⅱ』の方を採用すべきであったろう。けれども、草稿を見るかぎり、『真理論Ⅱ』は完成稿というにはほど遠く、その後半は、まるで文章になっていない。メモ程度のものや小見出し、もしくは単語や語句だけが連ねられている。明らかにまだ草稿の途上にあったことを物語っている。それで『真理論Ⅱ』を刊行することは躊躇われた。

ついで『真理論Ⅱ』で完成していると思われる部分と、『真理論Ⅰ』を組み合わせることを考えてみたが、どう組み合わせてみても重複する部分が生じる上に、全体の統一が崩れてしまう。それに加えて章立てがなかなか困難である。考えてみれば、同じ著者が同じテーマで、ほぼ同時期に書いたものなので、中身が重複するのは当然と云えば当然である。二種の草稿の異なった表題の章のなかに、まったく同じ文章が収められているケースが多々見られた。

それで思案の末に、相対的により完成していると思われる『真理論Ⅰ』の方を採用することにした。ひょっとしたら本人の意思に反しているかもしれないが、一冊の書物としての体裁を考えた場合、それが最善だと思われたのである。それには、『真理論Ⅰ』と『真理論Ⅱ』に、内容においてそれほど明確な違いがあるとも思われなかったということが、有力な判断材料になっている。

しかし、上述したように、『真理論Ⅰ』も完成稿ではない。とくに最終部分は論文ではなく、アフォリズムになっているもの、他の著者からの引用文、小見出しやメモ程度のものが多い。それらは明らかにまだ草稿の途上にあることを示している。おそらくこの辺りを叙述している段階で、新たに『真理論Ⅱ』を起稿しはじめたのではないかと思う。

そこで、思い切って原稿の一部を割愛したり、削除したり、整理したりして、一冊の本としての体裁を整えた。けれども、そのことによって大切なものを洗い流してしまわなかったかを恐れている。

タイトルは、草稿にはただ『真理論Ⅰ』とだけ記されていたが、内容的に『直知の真理』が適切だと思われたので改題した。また、各々の章のタイトルも若干、重複していたり、分量に極端な大小があったりしたので、思い切って整理し統合した。もとの表題を変えた章もある。ただし、文章に関しては、明らかに誤植と思われる箇所や、「てにをは」が合っていないところを訂正し修正した以外は、できるだけ原文のままにすることにした。多少、疑問に思った箇所もあったが、あえて手を加えることなく、そのオリジナリティを尊重した。

以上が編集者として行った作業のあらましである。編集者が草稿に加えた作業が、基本的に著者の真意を取り損なっていないことをただただ願うばかりである。

私が桶本欣吾の草稿を読んで感じた第一印象は、これはまさに預言者の書であるということであった。預言者の書であるというのは、何か自分の根本信念を伝えようとする強い意思が全編をとおして漲っているということである。そのことは叙述のスタイルにもあらわれている。全体が論文の形式ではなく、アフォリズムの形式をとっている。自分の考えを順を追って論理的に叙述していくのではなく、いわば大上段から裁断していくのである。自説の正当性を論証していくのではなく、まるで託宣のごとくに宣告し告知していくのである。表現形式としてはどこかニーチェに似ている。ニーチェもまた論証を嫌い、警句を好んだ。無論、著者が論文形式の書き方を知らなかったわけではなかろう。むしろ自分の考えを叙述するにあたって、あえて断言的で、警句的なスタイルを選択したのだろう。

それが自分の考えを伝える最上の方法と考えたのではないかと思う。これは多くの独創的な思想家に共通した特徴である。

また著者が、「本質世界」「直知」「霊体我」「生成場」「響動」など独自の用語を用いているのも独創的思想家に共通した性格である。従来の哲学用語にはない用語が頻繁に用いられているので、最初は戸惑いを感ずるが、読み進めていくうちに、それらがきわめて適切な、またその場面や情況にぴったりした用語であることがわかってくる。無味乾燥な学術用語ではなく、生きて躍動している言葉である。そしてこうした著者独特の術語が彼の思想を生き生きとしたものにしている。これは独創的な思想家に共通した特徴で、その点では著者の叙述の仕方は独創的である。通常の学者が書いたものとはまったく性格を異にしている。自分の思想がなんら人様からの借り物でもなければ模倣でもなく、自分の魂の底から考え抜かれた思想であることを明確に物語っている。そのことはまた、どの箇所をとっても、その論旨が一貫していて乱れがないところからもうかがうことができるだろう。

とはいえ本書はなかなか難解であって、著者の思想を正確に理解するのははなはだ困難である。したがって、読者の理解を助けるための何ほどかの解説が必要であろう。しかし残念ながら私はその任を負う立場にはない。へたに解説して、著者の真意を損ね、読者に間違った先入見をあたえるのはどうしても避けなければならない。それで、以下、著者に自分自身を語らせるような仕方で、その基本の思想を簡潔に紹介することにしたい。

著者は自分の哲学を「直知の哲学」であるとか、「本質直知の真理論」であるとかいっている。ここで本質といっているのは、宇宙や世界の本質ということであり、直知というのは、そうした本質世界を直観することという意味であろう。つまり自分の説く真理論は宇宙や世界の本質がどのようなものであり、またそれがどのような形で現実界にあらわれているか、さらには本質界はどのようにして直観されるかについての哲学である、ということである。そうした真理論の全体の構造は本書のなかで何度か示されている。たとえば四六頁の「直知の哲学」という小見出しのもとに、直知の真理論の内容が、つぎの五項目にまとめられている。

イ　四次元時空を突破し、非時空を観る認識経験。

ロ　非時空に流れ込む永遠を観、永遠の相のもとに、世界と自己を見る。したがってその認識は時空の有限を超え普遍を観、普遍を表現する。

ハ　わたしたちの言葉でいうなら、その認識は非時空の生成場を見る。そこで生成場に流れ込む永遠を知る。またその生成場を通じて改めて更生した四次元時空の新たな相、四次元時空の存在者の新たな姿を観る。

ニ　その哲学はしたがって普遍から、世界と自己を説明する。科学による認識はあくまで現象から、あるいは現象の要素還元から世界を説明するという小なるものによって大なるものが生じるという説明とは違って、直知の哲学は普遍という大なるものから小なるものを説明する。

ホ　四次元時空と生成場の間の境界領域を知る。またその境界領域の存在者を知る。その場所とその存在者とは、四次元時空の初発の姿を見せる。

　なかなか難解な文章であるが、要するに、直知の哲学は現象界と実在界、すなわち四次元時空の世界とそれを超えた普遍的本質界を結びつける哲学であり、現象界を、それを超えた本質界から説明しようとする哲学である。そして現象界と本質界の両界を媒介するのが、「生成場」であるというのである。われわれは生成場において本質界を直観し、本質界が生成場に流出しているのを直観する。そして、そのときには、先の現象界すなわち四次元時空の性格がまるで変化してくるというのである。万物の生成場における我はもはや通常の我ではなく、本質世界を直観する我であり、そうした我を著者は「霊体我」と呼んでいる。それは四次元時空を超えた我であり、――これを著者は「自我の退場」と呼んでいる――生成場における我である。

自我の物理的世界では電磁波の光が視覚中心の認識を支えていたが、自我の退場による物質の消滅によって、無、すなわち物質の無が露呈するとともに電磁波の光もなく、一切が闇となる。しかし闇の先は生成場であり、生成場に射すのは本質世界の光であり、霊体我の覚醒とともに、霊体我による認識が始まる。霊体我が見ることができるのは、本質世界の光によってであり、生成場に展開するのは本質世界が光とともにもたらす本質価値である（六四頁、参照）。

本質世界の本質価値は生成場を媒介して現実世界にもたらされる。本質価値が生成場に降り注がれたときには、生成場は「無限の慈悲の光」に満たされ、「永遠の美の光」に満たされ、「完全なる調和の光」に満たされ、「完全なる平安の光」に満たされ、「普遍の善の光」に満たされ、「聖なる至福の光」に満たされ、「聖なる喜びの光」に満たされる。そうしてこうした本質価値は生成場をとおして現象界に降り注がれるのである。

この点を著者はつぎのように語っている。

本質世界である永遠、絶対、普遍は、その永遠、絶対、普遍を実体として表出するため本質価値を表出した。次いで本質価値が実体であることを表出するために生成場を創造した。かくして生成場は不壊の愛、無限の慈悲、根元なるいのち、永遠の美、完全なる調和、完全なる平安、完全なる秩序、普遍の善、聖なる至福、聖なる喜びが実体化したところとなった。それらの本質価値は生成場という場所を得て現実化したのである。

本質価値はさらに生成場を経由して現象界に、そしてそれらの存在者に降り注ぐこととなるけれど、それは生成場である実体化した本質価値が、次の段階において歴史的現実となるためにほかならない。

（一一三頁）

ではわれわれの自我が霊体我になったら、世界はどう変化するのであろうか。この点について著者は、「ひとが霊体我になるならば、そのときひとはこれまで悩んできたさまざまなものから無縁になっている。それどころか、霊体我はたえざる喜びの中にある。しかしその喜びを脇において、なぜ霊体我が悩みから解放されているのかを見るならば、霊体我には死というものがなく、霊体我には対立する他というものがなく、霊体我には不純なるものがなく、霊体我には欲望に駆られる悩みがなく、——ただただ降り来る光、降り来る本質価値を享受すればよいからである」（六四～六五頁）

ここから理解されるのは「直知の哲学」が一種の解脱論であるということである。われわれが四次元時空を超えて生成場に到達する時、われわれの自我は霊体我となって、本質世界を直観する。そうして本質世界から射し込める慈悲の光を一身に浴びるのである。そこに至福の世界が現出する。しかし、それはただ単に個人としてのわれわれの至福ではない。同時にそれは、世界にある一切のものとの連動の自覚であり、一体感の会得である。

こうして著者は霊体我のもっている特質として生命あるものの響動あるいは響和を説いている。生成場においては生命あるものは皆響動し合っている。生成場を照らす本質世界の光の中にあって、生命あるものは降り注ぐ光を浴びて歓喜しながら、その光の中で、同じく生命あるもの同士が相互に響き合い繋がり合っている姿を確認して喜び合って光の降り注ぎに合わせ響きあっており、命がつながって一大熱波のように広がり生命同士の繋がりが我が生命であると知るのである、といっている（一一九頁）。

西田幾多郎は『善の研究』のなかで天地同根・万物一体ということをいっている。また王陽明も「人の良知は、就ちこれ草木瓦石の心なり」といい、ここから「万物一体の仁」を説いている。桶本にもこれと同様の思想がみられる。そこに東洋人に共通した世界観を見ることができるだろう。それは人間と宇宙における一切のものが一体にして不二であるという思想である。

霊体我の特質としてさらに、われわれは霊体我が現象界に属していると同時に本質界に属しているという二重性格をもっていることに注意しなければならない。このことを著者は「わたしたちは、現象界にありながら、同時にまた併せて生成場からの光を浴びているという二重の次元にいつも存在している……わたしたちは常に四次元時空の現象界にありながら同時にまた併せて四次元時空を超えた生成場にも生きている。／わたしたちは現象界の身体、脳、心理という生物として四次元時空にありながら、同時にまた併せて生成場の霊体我という我でもある」（二一二頁）と表現している。

ということは世界は四次元時空でもあるが、同時にまた生成場次元でもあるということである。そしてわれわれは四次元時空にあるが、同時にそれを超えた生成場次元にもあるということである。こうした主張は明らかに「現象即実在論」の系譜に属している。

著者の思想は古代ギリシアのプロティノスの考えに近いといえるだろう。プロティノスの思想は一般に流出説といわれている。それは存在と思惟を超越した「一者」（ト・ヘン）から一切のものは流出するという思想である。一者から理性（ヌース）が流出し、理性から霊魂（プシュケー）が流出し、霊魂から自然（ピュシス）が流出し、最後に物質（ヒュレー）が流出すると説く。同時にプロティノスは一切のものは一者を観照するとも説いている。彼はすべてのものが観照を求めていると説いた。理性的なものばかりではなく、理性をもたない植物の生命も、さらには植物を育む大地も観照を求めているという。こうした考えはプロティノスの思想と近い。そのことは著者自身も自覚しており、その一端は、たとえば一一九頁の文章にあらわれている。著者が「生成場」といっているのは、プロティノスの「理性」にあたり、「直知」といっているのは「観照」（テオリア）にあたっている。またおそらく「霊体我」といっているのは、プロティノスにおける理性にまで昇華された霊魂と対応しているのではないだろうか。

ただ桶本とプロティノスの思想の明確な違いは、著者の思想はプロティノスのような単なる神秘主義ではなく、同時に、彼が自分の根本思想を現代の最先端の自然科学の知見と結びつけようとしている点である。もっとも古いものともっとも新しいものを結びつける試みがなされている。

本書の最終部分では著者の現代科学に対する造詣の深さが垣間見られる。ビッグバンとそれに先立つインフレーション理論、トーマス・クーンのパラダイム論、スティーブン・ホーキング、ブライアン・グリーン、佐藤勝彦、ユージン・ウィグナー、スティーブン・ワインバーグの等の量子宇宙論あるいは宇宙起源論等を参考にしながら、それらの知見と自分の思想を結びつけようとしている。この分野においては著者はなかなか博識であって、私は雑談や議論の際に、たびたび驚かされた記憶がある。

しかし、難を言えば、それが体系的に論じられていない。そうした最先端の知見と自分の思想がまだ十分に結合していない。ようやくその緒についたところで病のため執筆が途絶えている。御家族の話では、本人は最後の最後まで原稿の完成に執念を燃やしていたそうであるが、未完のままに終わったことは本人にとって痛恨の極みであったはずである。その心中を察するに余りあるものがある。けれどもその壮絶な生きざまはいつまでも深く近親者の記憶に残るであろう。

小坂国継（こさか・くにつぐ）………哲学者、文学博士。日本大学名誉教授。一九四三年、中国張家口生まれ。六六年、早稲田大学第一文学部哲学科卒業。七一年、早稲田大学大学院文学研究科博士課程満期退学。専攻は宗教哲学、近代日本思想、比較思想。『西田幾多郎の思想』『東洋的な生きかた』『西洋の哲学・東洋の思想』『鏡のなかのギリシア哲学』など著書多数。

跋

福島泰樹

電話を切ったあと、滲みでる悲しみ抑えがたく、涙していた。出会ってから、すでに五十七年もの歳月が経過している。短歌雑誌に連載している日録「茫漠山日誌」を紐解くと、こんな記述がある。

昨夜、桶本欣吾から電話があった。実に懐かしい声だ。ゆたかな声量で淡々と入院に至る経緯を話してくれている。病状は、「急性リンパ性白血病」、夏目雅子や渡辺謙が罹った血液癌……。突如歩けなくなり、意識を喪い七月に入院（湘南鎌倉総合病院）。

「直ぐに行く」「どうか来ないでくれ！」

そんな遣り取りの後、優しげな口調で君は言った。

「どうしたことだろうね……、神様が定めたことだから……」「食事をすると下痢……」。

「こんな時こそ、詩を書けよ」。心を鬼にして私は言った。

「そんな気力はないよ」の返事が返ってきた。二〇一七年十月二十二日のことである。電話での付合いが始まった。

1

その桶本が、潑剌として私の前に現れたのだ。聞けば、川崎市梶ヶ谷にある虎の門病院分院に入院、現在は自宅療養中であるという。昨二〇一八年の夏、七月二十日のこと。場所は横浜ランドマークタワー。桶本は、早稲田の同期生上田保子、坂《ばん》麗水を伴い私の連続講義「啄木を追った男―寺山修司」（NHK文化センター）を聴きに来てくれたのだ。見慣れた背広を着た元気そのものの桶本がいた。

この日、私は、寺山少年を世に送り出した編集者時代の中井英夫を語り、次いで追悼番組「黒鳥館日記――作家・中井英夫の生と死」（ETV特集'94）のビデオを上映、私が司会進行役を務めた番組だ。アンチミステリーの傑作と謳われた『虚無への供物』が刊行されたのは、一九六四（昭和三十九）年、東京オリンピック開催の年。俺たちはまだ、学生だった。その中井が、桶本欣吾掌編集『迷宮行』（深夜叢書社　一九八〇年一月刊）を絶讃、帯文を書いている。

……「鏡、黒の……」以下十二篇は、めくるめく綺想の宴に読者を誘い、紫金色に輝く鹹湖、青い微笑を残す友人、鱗粉に似た雪の日の割礼とすべて血と禁忌に彩られた食卓に導く。死の影とともに酌む杯には、いったい何色の葡萄酒がふさわしいのか、私には予想もつかぬ。野村昌哉氏の装画の中に、あるいはその秘色が匿されているというにしても。……

野村昌哉は、電通での桶本の同僚の、異才の画人。だが、その後の消息を私は知らない……。
掌編小説集『迷宮行』は、作家桶本欣吾の絢爛たる才能が凝縮、生死の彼岸目眩くエロスへの渇仰となって一気に開花した。この頃私は、濃紺の背広で身を固めた桶本に、夜の新宿界隈でしばしば出会っている。

…………
…………
世界は裸形だ！
　私は
仄めく肉体
溶けたまなこ、照らされた破片

運動する大空　一滴の星の涙

掌編と同時進行していたのであろうか、引続き君は、存在論的寓喩風詩篇の創作に没頭。一九八一年四月、詩集『禍時刻』（深夜叢書社）を刊行。存在開示の予兆に満ちた跋文「逢魔禍時刻」を誌す。

禍時刻が訪ずれ、禍時刻が去る。
少年時、その逢魔悦楽の片時に囚われてこのかた、私の抱懐する主題は、そのことのみに偏し他事に関わりえないものとなった。…………

ただ、一言ことわっておくとすれば、私が描きたいと念じた光景は、夢でも幻想でもない、すなわち、詩は、喩ではない光眩《まばゆ》い実在の写しであるというそのなし難い想いである。

「光眩《まばゆ》い実在」の証明、この宇宙を包括した「実在」の探求を、君は文芸創作を措き、「哲学」をもってその裾野を拡げてゆく。

かくして、二〇一一年一月、哲学論文集『光から時空へ』（深夜叢書社）の刊行へと至るのである。詩集『禍時刻』上梓から実に三十年の歳月が経過していた。堂々A5判四百頁の大書は、こう序まる。「光が降り下っている。光が満ちている。光が覆い、包み、わたしたちは光に浸されている。／光を浴び光に浸されたここを生成場と呼んでおこう。なぜならここから時間、空間、物質が誕生しここより発出してくるからである。……」「……カオス（khaos）とは古代ギリシャにおいて宇宙がそこより発生した始原の混沌をいった。宇宙という現象界にあるさまざまなものがこのカオス、生成場より生まれ、初発する。」

それを、桶本欣吾の自身の言葉をもって解説すれば、「現代物理学の未踏の地をゆく哲学の旅」であり、「思考も高速加速器も届かない、そこに開顕する荘厳世界」（「帯文」）ということになる。そして、「光は地上の黄金や白銀や瑠璃の輝きと比べえず輝き、桃や桜や雪をさまよう明かりと比べえずあえかで、たとえようのない清らかさ、純粋さであり、壮麗であり荘厳であり神聖である」「根源の本質から来るその光には喜びと幸福の気が籠もり（中略）ひとの知ることのなかった喜悦へと、ひとの知りえない至福へといや増しに増して突き昇っていく」(「序論」)のである。

まるで大乗仏典『法華経』一部八巻二十八品が展開する壮大な偈頌《げじゅ》、喩の世界ではないか。なぜに、本書カバー装画に『平家納経』中、法華経第十一品「見宝塔品」背紙(厳島神社蔵)が選ばれたか。「序論」を美事に謳い上げているからであった。

わたなかを漂流しゆくたましいのかなしみふかく哭きわたるべし

本書が刊行されてほどなく東北地方に大震災が発生、一万八千人を超える死者行方不明者を出し、福島に原発事故発を起こさせてしまった。

戦時の昭和十八年に生まれた俺たちは、俺たちの親のようには震災も戦災も体験せずに死んでゆくのだろうな、と妙にしんみりと語り合ったことなどが思い出される。君の「光眩い実在」への探求はこの間も熄むことはなく、最先端の物理学とのとっくみあいが開始されていた。

二〇一四年一月、哲学論文集『明けゆく次元』(深夜叢書社)刊行。恵送を受け、国宝『平家納経』中は、法華経「薬王菩薩本事品」二十三品の見返絵眩い大冊扉に、「拝復　新春を迎え、貴兄の益々のご活躍を賀し、お慶び申し上げます。前年は拙稿の出版ではお骨折り下さり、ほんとうにありがとうございました。ようやく献呈させていただくものができました。敬具／一月元旦／桶本欣吾」の一紙が挟み込まれていた。

それは、「現代物理学も現代の哲学も、時空を超えた世界と取り組むことを極力避けてきて、今日にある。時空内にあるものだけが近現代の学問対象とされてきた」(同書三五六頁)という認識である。

ゆえに、出版界も書店もこの著作に寛容ではないという不満であった。それが一気に、私への怒りとなって爆発したことがあったのだ。

とまれ、浅学甚だしく同書の内容を逐一理解できない私ではあるのだが、巻末の一節に改めて若き日の彼と、詩人桶本欣吾の、その思想の出自に出会った思いがした。

幼年期、寂れた港町の家の前は海峡で、夜になると黒い海面にしばしば霧が這い、時に海峡は灰色におおわれました。霧笛を吐いて姿の見えない汽船がよぎります。幼児は窓から身を乗り出し、両手を差し伸べて流れる霧塊を摑み、霧を浴び霧と一体になろうとし、霧粒に濡れ濡れとなります。霧笛が幼児の胸の洞をわななき震わせ、咆哮が海峡に大きく轟き返ります。驚くべき何かが起こりそうに思いなして幼児の顔が紅潮します。霧の世界に彼は入っていたのでした。

2

講座には、西洋哲学科の同期生で横浜在住の大上昌昭が受講してくれていた。上田、坂とも顔なじみである。終了後、ランドマークを後に関内は「鳥伊勢」へ繰り出した。桶本の希望による。高らかにジョッキを揚げ、桶本の復帰を祈った。満面に歓びを湛え誇らかにビールを飲んでみせる君がいた。団欒の時は過ぎていった。

いまになって思うのだ。俺が「親友」と思う男たちとの最後の会合には、必ず「別杯」を交わしている。立松和平がそうであった。いつものように、実に愉快に談笑、鶯谷の酒場で酒を酌み交わして別れた。西哲（西洋哲学科）の同期飯田義一とも横浜黄金町大岡川河畔で盃を交わしている。桶本と、これが最後の語らいとなるなど思いも及ばぬことであった。

十二月になって桶本の夢をみ、自宅に電話を入れた。携帯着信履歴には「桶本」とあるではないか。桶本も私に電話を入れてくれていたのか。

入院と思いきや電話には、桶本本人が出た。病室では、抗癌剤との戦いで、始終下痢をし、「体も、心もぼろぼろになる」「追いつめられている」「いまという時間に耐えることに精一杯である」と、よく通る声でそう言った。

返す言葉のない私に、桶本は、悪いことをたくさんして生きてきた報いが……というようなことを言った。「そんなことはない」とつよく否定し、「それなら俺は……」と言い返すと、「君は立派に生きてきた……」と、まるで私を庇うかのように、そう言ってくれたのであった。いまだ俺は、病苦の友だちに護られているのであるのか。そして、桶本はきっぱりとこう言った。

「人間が叩き直されるには、一番辛いことに耐えることなんだ」

桶本と初めて会ったのは、一九六二年四月。私たちは、早稲田大学第一文学部「西洋哲学科」の集合写真に四十数人のクラスメートたちと共に写っている。前列中央には、樫山欽四郎、佐藤慶二、岩崎勉、植田清次ら教授陣が威儀を正し、塚原、木村、谷ら三人の女子学生を除き、全員学生服。飯田、浅井、西脇、麦野は学帽を被り、伊藤、藤本、清川、小坂、石野、酒井、七原、豊福、大上、香嶋、森田、清水、橘内、成岡、藤原らの顔がい列び、君はとみれば、群れから離れるように後方、壁にもたれている。四月のある麗ら日のことであろう。学内には、六〇年安保闘争の敗北感があわく漂っていた。

君との最初の記憶は、五月になってからである。この春、文学部は本部のある早稲田キャンパスから戸山キャンパスに移転、私たちに新校舎での講義が待ち受けていた。

通用門を入ると、なだらかなスロープが文学部へ向かっている。

ワイシャツの腕を捲り、黒いサージのズボンの、両ポケットを膨らませた桶本が胸を張り、スロープを歩いてくる。精悍な面差しは、いつも熱に浮かされたように紅潮していた。顔見知りを見れば右手を挙げて「やぁ!」と礼するところから、いつしか「ハインリッヒ」と渾名され、「ヘルダーリン」(これは私の命名だ)とも呼ばれるようになる。ズボンの両ポケットを膨らませていたのは、ズボンを読みさしの文庫本やノート入れに使っていたからである。その佇まいはいつも情熱的で夢に浮かされているようでさえあった。


戸塚二丁目名曲喫茶「あらえびす」隠し飲むウイスキー壜　敗れたる身は

入学してほどない私を、視聴覚室に連れて行きベートーヴェンは、フルトヴェングラー指揮「交響曲第九」を聴かせてくれたのは、桶本であった。その足で彼は、戸塚二丁目のクラシック喫茶「あらえびす」に私を誘った。私語厳禁、一人がけの椅子と机、端正に仕切られた、中世の田舎の教会を思わせるこの小空間が、以後の私の孤独の場となってゆく。時をおかず私にニーチェの嵐を吹き込んだ桶本は、いつも大学ノートを帯同、間断なく湧き出ずる言葉の氾濫は、アフォリズムをもって書き継がれていった。

詩行に「ゝゝゝゝゝ」を標した頁を開き、誇らかに『ヘルダーリン詩集』（角川文庫）を私に、読み聞かせる十代の桶本が見える。

いざさらば　青春の日よ　汝　恋の
薔薇《そうび》咲き匂う小路《こうじ》よ　さらに汝達　かの漂泊者《さすらいびと》のあらゆる小路よ
いざさらば　かくて　おお　故国の天空《みそら》よ
今はわが生を再び受け納《い》れ　祝福《ことほ》げよかし
（吹田順助訳）

恋多き男でもあった。だが、その顚末のすべては私の胸の中にのみ納めておくこととしよう。

シュトルム・ウント・ドランク！　四年の歳月はたちまちのうちに過ぎるかにみえた。だが、卒業期、早大学費学館闘争の嵐が吹き荒れ、この間の桶本の記憶は私にはない。

一九六六年三月、敗走してゆく闘いの中、卒業生を送り私の他、何人かが留年した。留年組の桶本の就職先が、すでに「電通」に内定していると聞くに及び仰天した。電通と桶本欣吾のイメージがあまりにもかけ離れたものであったからである。

一九六七年春、卒業した私は関西の修行先へ向かった。以後、桶本との記憶は途切れる。私の前に、桶本欣吾が立ち現れるのは、一九六九年歳晩。この夜、私はクラスメートの七原秀夫と連れ立って、目黒区祐天寺のマンションに、和江夫人と所帯をもったばかりの桶本を訪ね、修行先で纏めあげた処女歌集『バリケード・一九六六年二月』を献本している。

七原は、入学したばかりの私に、「悠々たる哉天壌、遼々たる哉古今、五尺の小軀を以て此大をはからむとす。ホレーショの哲學竟に何等のオーソリチィーを價するものぞ。萬有の眞相は唯だ一言にして悉す、曰く、「不可解」。……………」と、一高生藤村操が、華厳滝巌頭の水楢を削り書き遺した「巌頭之感」を、朗々と諳誦した男であった。ほどなく「劇団自由舞台」に入部、大隈講堂で公演された「かもめ」では、一年生の新部員でありながら、主人公の青年トレープレフを演じ、やがてクラスを離れてゆくのであるが、桶本とはその後も親交があったようだ。俳優養成所では、江守徹と同期で、歌舞伎座の大道具部に勤務し、脚本を書いていると言っていた。この夜七原は、わが家に宿泊。明け方、即興の漢詩をしたため、熟睡する私の枕元に置いて部屋を出て行った。以後七原の消息は杳として分からぬ。

一九六九年歳晩、目黒祐天寺。そしていま、華やかな新婚の宴から五十年目の歳晩ではある。

3

卒業から二十五年経つと、大学が卒業生を招き式典をするホームカミングデーなる習わしが早稲田にはある。一九九〇（平成二）年十月、桶本が幹事役を果たし私たち在京組に加え、福山からは画廊を営む今井浩士が、岡山からは陶芸家石野泰造が上京、在京組の内田種臣、小坂国継、森田尚武、それに早大在学中の桶本典子、今井聖子、東哲（東洋哲学）の上田保子らと、秋晴れの大隈庭園で酒を酌み交わし実に楽しい一時を過ごした。この日、どうしたことだろう大隈講堂での式典で、私が一九六六年生卒業生代表に選ばれ演説をしている。歌人としての活躍が、大学に認められていたのであろう。以チャンスは到来した。私は、四半世紀を経て、早大学費学館闘争の総括をやってのけたのである。以後、桶本が中心となって、しばしば会合がもたれるようになる。

私たちが在学中は、西洋哲学科講師であった小山宙丸先生が第十三代早稲田大学総長に就任。祝いの席をもつこととなった。会場は、私が出入りしている台東区根岸の小料理屋「玉井」。桶本が立ち働き、早稲田理工学部教授内田種臣、日本大学大学院教授小坂国継、東京医科歯科大教授酒井サヤカ他東洋哲学科をふくむ二十五人もの卒業生が恩師を囲んだ。

二〇〇二年七月、桶本は三十五年間勤続した電通を退職。この間、若くして国際コンベンション株式会社に出向、副理事に就任。ならば電通の王道を彼は歩んでいたのだ。この間のことは、作家宮尾登美子が「この作は大へんおもしろかった。」「文章に才気が溢れており」と絶讃した桶本乃梨子「夢家族」(「婦人公論」一九九五年十月号)に散見する。……だが、先へ進もう。

ともかくも、退社し自由を得た桶本とあい計って、西哲東哲同期生の同人雑誌を刊行することとなる。そのための会合が、二〇〇四(平成十六)年冬、早稲田の居酒屋「志乃ぶ」で開かれたことなどが、懐かしく思い出される。誌名は「西東《さいとう》」と決定。以後会合を重ね、四月二日、第一回編集会議が早稲田大学大隈会館内のビアレストラン「楠亭」で開かれた。出席者は西哲から桶本欣吾、内田種臣、小坂国継、森田尚武、福島泰樹、東哲からは上田保子、栗山雅美、中村彰男、長谷川現道が出席。会費、応募原稿の報告、編集方針、部数等細部にわたり検討。改めて桶本の実務能力の高さを知らされた。他に西哲からは石野泰造、伊藤一彦、今井浩士、酒井サヤカ、高野孟、藤本浄彦が、東哲からは大平茂樹、黒川武、加藤智見、猿田知之が参加した。卒業後三十八年の歳月を経ての結集が私には余程嬉しかったのだろう。数日を経て、こんな歌を作っている。

「西東」編集会議を終えて

桜吹雪く早稲田大学文学部皺寄るごとくわれら集いぬ
六十歳になりて集いし馬場下の　デカルトハイネ何望むべく
統一総括卒業式やジグザグのデモ終え辛く別れしならず
あれからや三十八年　振袖やフランスデモに花は吹雪きしが
俺たちはみんな元気だなすこともなく草臥《くたび》れて坐っているが

同期生達をこんなふうに歌い、桶本とは会うたびにその消息を語り合った七原秀夫には、

あれは四月の午後の日だったピケを裂く七原秀夫の熱き弁舌
藤村操「巌頭之感」を朗々と唱えしからに碧き血しぶき

一九六四年五月、「西哲不正選挙」事件（後に「早大一文闘争」に発展）で、成岡庸治（後の革マル派全学連委員長）と共にクラスから追放した藤原隆義（革マル派政治局員、一九七七年輸送車内で焼殺される）には、

「ロシア革命史」小脇に抱え肩で扉押し来る霧の彼方の友よ
チャコールグレーのレインコートが立ち尽くす白きメットの頭を下げて

と歌った。さらに同期生たちを実名でこう歌った。

七三の大平茂樹あらわれて早慶戦の濃き夕まぐれ
詰襟の伊藤一彦、野太かるその痩身の日向魂
なにならん飯田義一も顕れてデンキブランや夜は更けてゆく
内田種臣教授の白髯白鬚なる顔を覆いていたるはにかみ

夢見るようにヘルダーリンを語り女たちを蹴散らすようにキャンパスを闊歩した桶本欣吾には、

桶本欣吾その横溢の学らんのズボンの裾の若き鮎たち

と歌った。以後、何度かの会合を経て二〇〇四年八月、「西東」は鳥影社から創刊される。内田種臣「創刊の言葉」に始まり、酒井、小坂は哲学論を、高野、藤本、森田がエッセーを、伊藤が短歌作品を発表。私は高野孟へのロングインタビューを、桶本は「芥子は金色に濡れて（前篇）」なる長編小説の執筆にとりかかった。

小説は、「芥子」を描いた絵画作品をモチーフにした作品で、主人公は銀座で画廊を営む清瀬美津子。そのパトロン的存在の美術商の重鎮西尾了に、桶本は自らを投影している。曰く「バブル崩壊でこの業界の受けた打撃は並大抵でなく」、「五十半ばとは思えない肩に盛り上がった逞しい僧帽筋にたがわない力で、その重荷を撥ね返しているのであろう」。

事実桶本は、底力を発揮しその打撃を撥ね返した。どこで鍛え上げたのであろうか、桶本の裸身の

逞しさといったらない。浅黒い肌、ゆったりと盛り上がった大胸筋。均斉がとれたその体軀は、「黒いオルフェ」主演のブレノ・メロを彷彿させた。電通での激務の後、帰宅した桶本は孤独なトレーニングを自らに果たしていたのであろう。電通を退職し自由を得た桶本が最初に手がけたのは、油彩であった。若き日のヘルダーリンとの出会い以来、最大のテーマである「光」を油彩をもって体験してみようと思い立ったのかもしれない。そんな想いを桶本は、ヒロイン美津子に語らせている。

「明るさこそは、ほんとうは、昼の光り夜の輝きといった自然の光なのではない。画家が明るさや輝き、あるいは陽光とみせかけて光を描くとき、彼はその自然の光のうちにまぎれもなく姿を現す神聖の光の顕現をこそ描き出そうとしているのだ。空も星も山も沃野も湖も、神秘の光によって照明されながらそれらは聖なる光と溶けあい、相和して、みずからも輝きを発し、ただの空でなく星でなく山でなく沃野でなく湖でないものへとなりおおせている。自然全体が崇高な神秘と相和し共鳴し、みずから輝いて歓呼し、神秘と交歓しているではないか、――そうなのだわ、それがこの絵がわたしを満たしわたしを陶然とさせるのだわ、と彼女は思う。」

そして、「西東」二号が刊行されるのは翌二〇〇五年八月。だが、長編を予感させた後編は書かれることがなかった。しかし、虚構《フィクション》をはりめぐらせた小説に代わって、発表されたのは実在を問う哲学論文「宇宙とは本質世界の自己運動である。もとより宇宙とはただ物理的宇宙、天文学的宇宙をさすばかりではない、……」に序まる「生成場論」であった。

桶本は、仏教、なかんずく唯識思想を研鑽していたのであろうか。

「霊体我は、ひとが生まれる時に生成場から訪れて肉体に入る。このことによってひとは人間になる。

また、ひとが死ぬとき、霊体我は自我を離れ人間の肉体を完全に離れる。離れた霊体我は現象界を去り生成場に帰って、次のひとへの転生が生じるまでそこで過ごす。霊体我が生成場のどのレベルに帰るかはもっぱらひとであった時の霊性のレベルに照応する」の考察から、そんなことを思った。

だが、ながい付合いの中で桶本と仏教について語り合った記憶はない。しかし、桶本が長い歳月をかけた研鑽と思索の末に到達しえた「生成場」なる新たなる名辞は、輪廻を超え経験を蓄積し個我を形成、すべての心的活動のよりどころとなる第八識「阿頼耶識」のアーラヤ（貯蔵庫）に通底しているように思われてならないのだ。すなわち、一切諸法は識（心）によって表象され、識より顕れ出でたものである。「識」とは、人間存在の根底をなす意識の流れを言う。すなわち眼《げん》識・耳《に》識・鼻識・舌識・身識・意識・末那《まな》識・阿頼耶《あらや》識の「八識」である。

いまひとつ「生成場」論が書かれるに至った経緯であるが、若き日の仏教学者玉城康四郎、生命科学者柳澤桂子が懊悩の末に行き着いた「神秘体験」を、桶本欣吾もまた体験していたのではないだろうか。彼らの意識に根源的変革がもたらされるのは、体験以後のことであった。

ワイシャツの腕を捲って立っていた風に吹かれてただ立っていた

とまれ桶本欣吾は、「西東」に「生成場論」を発表することによって文芸創作ではない、新たなステージに立ったのである。それは、大論『光から時空へ』『明けゆく次元』『直知の真理』へと上りつめてゆくための第一歩であった。

4

西哲東哲同期有志十九人が、実に三十八年の歳月を経て一同に会した同人誌「西東」も三号をもって終刊、四号刊行に至ることはなかった。

いま手許に桶本が作成した「「西東」編集会議議事録」（四月二日、五月二十四日）がある。いずれも大隈記念館内「楠亭」で開催されたものである。これを見れば桶本がいかに計画遂行のために優秀な実務者であるかが窺われる。大学時代の桶本からは、まったく想像もつかないことであった。

雑誌の発行は、むろん同人の会費をもっておこなわれる。しかし、私が考えたことは書店での販売を前提とした哲学文芸総合誌「西東」の刊行である。幸い私の本を数冊手がけてくれた「鳥影社」の編集者窪田尚が、版元を引き受けてくれた。氏は原稿の整理、デザイン、校正はもとより書店をこまめに回り棚を確保、書店への配本を可能にしてくれたのだ。

その氏が、実務を担当した桶本から激しい譴責を受けたのである。原因は、原稿入稿時のミスである。桶本の怒りは激しく私に向けられてきた。そんな経緯を経て、二〇〇四年八月「西東」創刊号は刊行をみた。A5判二二七頁、西哲同期生で最も活躍しているジャーナリスト高野孟へのロングインタビュー「我カク戦ヘリ」を前面に出し、書店売りの体裁は整った。

創刊刊行を機に、私は編集委員を辞任。後任を森田尚武が引き受けてくれた。しかし、森田も桶本の過剰な情熱に焙り落とされるように辞意を表明した。私の知る桶本がそうさせたのではない。桶本が電通で培ってきた習性がそうさせたのだ、といまは思う。電通時代の桶本と出会うために和江夫人に御願いして、「社員カード」を送ってもらった。

「昭和42年9月　東京本社ラジオテレビ企画制作局放送進行部勤務」を振り出しに、桶本は「46年主事（二十七歳）」「49年1月　副参事　映像事業部副部長（三十歳）」「55年4月　参事（三十六歳）」「62年6月　東京本社セールスプロモーション付　部長」に就任（四十四歳）と社内での実績を上げてきた。

この間、社内はもとより社外の顧客たちと鎬を削ってきたのである。身についたハイレベルな習性からみれば、人がやっていることなど歯がゆく見えてならなかったのであろう。

そんなわけで「西東」は三号で終わってしまったが、上田保子を軸に拡がっていった女子稲門会の先輩後輩。彼女たちはみな国文科教授暉峻康隆が「女子学生亡国論」を書いた頃の女子学生である。同世代の十パーセントしか大学へ行けなかった時代の誇り高きかつての女子学生である。歳をとったその分、その交流は楽しいものであった。霞が関、飯田橋、鎌倉、隅田川など毎年花見の宴を張った。桶本が幹事役をつとめ西哲からは内田、橘内、私などの在京組がいつも参加。鎌倉の文化活動家稲田明子、薩摩琵琶奏者坂麗水の催しものには、こぞって出席した。六十代を私は桶本を通して豊穣の時をもつことができた。

二〇〇九年十一月、酒井サヤカの訃報に接し桶本と連れ立ち通夜がおこなわれる東京諸聖徒教会（文京区千石）を探して歩いた夜のことなどが生々しく思い出される。酒井は敬虔なクリスチャンで生真面目な研究者ではあった。

二〇一四年一月、『明けゆく次元』刊行。前年八月桶本は古希を迎えている。前方をしかと睨み、胸を張って闊歩する桶本がいた。この間も、私の出版記念会などの催しには、必ず足を運んでくれた。

二〇一六年二月十日から三日間、吉祥寺「曼荼羅」で早大学費学館闘争五十周年記念短歌絶叫コンサート「バリケード・一九六六年二月」を開催した。

クラスメートの桶本欣吾、小坂国継、伊藤一彦、東哲の上田保子、一文四連協代表だった社会学の松村重紘、女優から朗読に転じた国文の千賀ゆう子。同窓の稲田明子、坂麗水が一堂に会したのだ。次いで四月、追悼集『追憶の風景』（晶文社）出版記念会にも桶本は足を運んでくれた。

博多からクラスメートの香嶋威彦が横浜に来るとの報せを大上昌昭から受け、飯田義一と四人、黄金町は大岡川河畔で杯を交わした。桶本に声をかけなかったことが悔やまれる。秋になって、飯田肺癌と判明。黄金町に出向き別杯を交わした。二〇一七年四月、飯田義一死去。「純粋な男だったよね」という桶本の電話での悲歎の声が耳朶を震わす。この頃だ桶本、君の歩行が困難になったのは……。そして、二〇一八年七月二十日、横浜関内での酒が、五十七年に及ぶ君との付合いの最後の酒となった。君は、実に嬉しそうに笑顔を振りまき、「じゃあ！」と手をあげ帰って行った。

会うこともなく過ぎゆけど学友は互《かたみ》に生きているだけで善し

この春、四月十七日のことだ。大上夫妻と連れ立って小平にある飯田家の墓に出向いた。三回忌の墓前に華香、酒を手向け、私たちの茶碗にも酒を注いだ。北九州の香嶋に電話をいれたが不通。桶本は、元気に応対してくれた。和江夫人によれば、この頃はかなり苦しく入院先（川崎、虎の門病院分院）と自宅とを往き来していたようだ。いま思う、桶本は敢然として苦難に立ち向かう克己の男であった。医師の勧告（六回にわたる抗癌剤治療）を五回目は拒否、漢方の治療に活路を求めてしまったのもそのためである。

五月三十日になって夜、桶本から電話があった。手帖には「愈々危ないので本の出版を頼むとのこと」とある。私は、桶本から最後の本の出版を委嘱されたのである。翌々日の六月一日朝、お嬢さんの乃梨子さん来。桶本が死力を尽くして書き上げた哲学論文を携えてである。山積みされたＡ４コピー用紙は、小さなダンボール一箱分の分量だ。乃梨子さんは涙ながらに、桶本の病状を語ってくれた。

乃梨子さんの本名は典子。セーラー服を着たお下げのすらりとした長身が目に浮かぶ。筆名を桶本乃梨子。結婚をして呉乃梨子。中学生の頃から小説を書き「浦安文学賞」を受賞。少女時代は私の主宰誌「月光」に短歌を載せていた。早稲田の文芸学科を卒業後、小説「夢家族」で女流新人賞（中央公論社）佳作を受賞。著作に『あなたが怖い』（メディアファクトリー）『軒尼詩道《トラム・ロード》を駆け抜けて』（深夜叢書社）などがある。二十年前からは香港在住。桶本欣吾掌中の珠ではある。

その典子さんが、父のため新聞社から長期休暇をとって来日。保土ヶ谷の実家と川崎梶ヶ谷の病院を往き来しながら、父の指示に従い原稿を整理。香港での仕事を抱え一子をもちながらの献身である。彼女の必死に、私は胸を熱くしていた。

六月十七日夜、典子さんから電話。桶本が、原稿を気にしているという。急ぎ私は小坂に電話、その編纂を依頼した。小坂は二つ返事で編纂を引き受けてくれた。桶本を安心させるために、私は明朝その旨を桶本に電話してくれるように小坂に頼んだ。

小坂は、日大名誉教授で西田幾多郎研究の第一人者。『西田哲学の研究　場所の論理の生成と構造』（ミネルヴァ書房）他二十数冊の研究書を刊行。『西田幾多郎の思想』は講談社学術文庫に、『西田哲学の基層　宗教的自覚の論理』は、岩波現代文庫にそれぞれ収録されている。

翌十八日朝、小坂は桶本に電話を入れてくれた。午後になって私が電話をいれると安堵したのだろう、桶本は大いに喜んでくれた。同時にようやく見舞いを受け入れてくれた。私は、小坂と溝口で待ち合わせる約束をした。……しかし翌日には、典子さんを通して断ってきた。ほどなく桶本は肺炎を患う。「もう、来ないでくれとは言わないでしょう」。涙声の典子さんの言にすべてを了解した。

月が明けて七月五日、桶本の病状を知らせるために小坂に電話を入れた。小坂は膨大な原稿をすべて読了。急ぎ編纂にとりかかっていた。執筆など自身の仕事をたくさん抱えながら、なんて誠実な奴なんだろう。

黒いサージのズボンのポケット膨らませ桶本欣吾が突っ立っていた

盂蘭盆の行事を終えた私のもとへ典子さんから電話が入った。「父が死にました」。七月十八日午後七時十九分、桶本は愛妻和江、長女典子、長子宜孝さんが見守るなか息を引き取った。「本を出せればそれでいい、それが夫の最後の願いでした」。後日、和江さんが私にそう話してくれた。家族三人一丸となって、桶本の願いを叶えようとしたのだ。

七月二十五日、横浜市戸塚斎場。通夜式場中央、花に飾られ遺影となった桶本が悠然とした表情で微笑している。そして桶本が眠る柩には、黒表紙の大冊『真理論』がそえられているではないか。典子さんが原稿を整理、急ぎ製本屋にもちこんだのであろう。

大上昌昭、上田保子、坂麗水が参列。昨夏、横浜で桶本を囲んだ面々である。東哲の衛藤仁俊と目が合った。学生時代、桶本のよき哲学思想文学のライバルでもあった。齋藤愼爾の弔辞。氏は深夜叢書社主で高名な俳人。桶本が兄事、『迷宮行』以来四十年近く桶本の著作を手がけてくれた。翌二十六日金曜日、「夏空は青く雲一つない、堂々たる遺骨」と手帖にある。遺骨を見送り、大上、小坂、衛藤、齋藤、通夜で初めて会った講談社で数々の雑誌を編集、吉本隆明著作と辣腕を思う存分揮った元編集者の高橋忠義氏五人で桶本を偲んだ。

七月三十一日、小坂国継と保土ヶ谷の桶本欣吾宅へ。桶本の霊前、和江夫人、典子さんと『真理論』出版について話し合う。本で埋まった廊下の向こうに君の書斎の荒野はあった。悲しみの家を辞し、横浜駅構内ビヤホールで小坂としみじみと、だが心豊かに酒を酌み交わす。青春の僅かな一時期を共に過ごしたにすぎない男たちが、なぜにこれほどまでに慕わしいのか。思うに桶本は、腹の底を告白し、秘密を分かち合った唯一人の「悪友」であった。

天上に風は逆巻きいるのだろう雲の切れ目を陽は降り注ぐ

文学部に通じるスロープを桶本欣吾が歩いてくる。桶本は右手を上げ「やあっ！」と私を呼び止め、やおらズボンに突っ込んだノートを取り出し慌ただしく頁を開き、熱い目をして私に見せる。アフォリズムの書出しには、「深淵を覗き過ぎてはいけない……」と、ペン先を立て引き裂くような書体で荒々しく記されていた。

さらば、一生をかけて深淵を覗き続けた男よ！　君は君が哲学世界に名辞を付与した「霊体我」、「大生命」となって光溢れる「生成場」から愛しい家族や私たちの営みに熱い眼差しをこれからも注ぎ続けてくれることであろう。さらば地上をこよなく愛した男よ！

二〇一九年歳晩三十日

福島泰樹（ふくしま・やすき）………歌人、東京都台東区下谷法昌寺住職。一九四三年、東京生まれ。歌謡の復権を求めて「短歌絶叫コンサート」を創出。国内外一六〇〇ステージをこなす。毎月十日、東京吉祥寺「曼荼羅」で月例コンサートを開催中。第三十二歌集『亡友』（角川書店）他、『福島泰樹全歌集』（河出書房新社）、評論集『追憶の風景』（晶文社）、ＤＶＤ『福島泰樹短歌絶叫　遙かなる友へ』（クエスト）など著作多数。

弔辞

齋藤愼爾

桶本欣吾さん。

あなたの死の知らせは、やはり突然、不意討ちのように訪れたという実感を抑えることが出来ません。ここ数年、御無沙汰してはいましたが、闘病生活をおくっているということは直接、あなたから、お電話でうかがっておりました。その消息を伝えるあなたは、いつもと変わらないものでした。声調もはっきりしておりました。

私よりも四つ歳下で、痩せっぽちの貧弱な私と比べ、体格も頑健そのものです。粘り強く病いに対峙しているというのですから、いずれ快方に向かわれることは間違いないと思っていました。

二度目か三度目にお電話を貰ったとき、見舞いに行くと申し出たのに、「こんな状態を見せたくないから、来るには及ばない」と、いつもの声調で、しかし頑なに拒絶されました。「こんな状態」といわれても、どんな状態か推測もつきません。毎日ばたばたしていると口癖のようにしていう私を逆に気遣ってのことだと思いながらも、そのとき一瞬、私は長谷川草々さんの〈内視鏡に映れる蝶を殺《あや》めんか〉という俳句を思い起こしていました。詩人の高貴なプライドというか、繊細な神経は、たとえ病因を調べるためとはいえ、内視鏡で己が内部をさぐられることを許し難く思ったのではないでしょうか。

しかし私のそのときの一瞬の疑念は、あなたの凛とした魂の姿勢には立ち向かうことが出来ませんでした。気圧されるままに見舞いを断念してしまったのです。今ではそのことを後悔しております。自宅に押しかけたら、あなたが遠出をしてやって来た私を帰すわけがないことは自明のことだったでしょうからです。

それから今日の葬儀の日までの日々、あなたの生涯と仕事に対して〈神〉の取られた処遇に納得のゆく脈絡をつくることが出来ないまま、この場に臨んでおります。

平成から令和に変わって僅か三ヵ月ほどの時間が経過した時点での死。この意味するものは何なのでしょうか。あなたは昭和の後半、半世紀と、それに続く平成三十一年の終焉を身をもって体験されました。自分の生きた歳月に平らかなる刻が瞬時も訪れることのなかった過酷な〈昭和・平成〉に対して一身をもって訣別を告知したのでしょうか。改元の狂騒に湧く令和に対しても、早々と見切ってしまったのではという思いがしきりにします。詩人の誰であったか失念しましたが、「令和の令は、命の字から口《くち》を奪い取った字だ」と発言していました。口は言葉（思惟）のシンボルでしょう。また呼吸を司どる器官でもあります。令はかつての軍国日本の命令の時代、侮辱の世の訪れの予兆なのかもしれません。あなたの不在は、そんな想念をかきたてるのです。

桶本欣吾さん、話は前後しますが、そもそもあなたとの出会いの、きっかけは何だったのでしょうか。福島泰樹さんに紹介されたという淡い記憶があるのですが、半世紀を閲した現在、曖昧模糊としています。では福島さんとの邂逅は「いつ」「どこで」と同じ問いが頭をもたげ、とどのつまり霧の中での彷徨という次第になってしまいます。

明確な日時は措いて、私たちが〈詩〉が沸騰している磁場で出会ったことだけは確実だと思っております。六〇年安保世代の私と、その後の七〇年代の早大を始めとする学園動乱の日々も大いに関係しています。

畏友の詩人、倉橋健一氏は「一九六〇年の反安保闘争の騒擾も六〇年代末の大学闘争も、どこかで詩が火付け人であったような、つまりまぎれもなく時代の知的感性を惹きつけた、挑発者の役割を詩が引き受けていたような気がする。詩を受け入れる情況が外部にあったからではなく、詩がみずから仕掛けて切り開いたものとして情況があったということだ」と述べています。ランボーとパリ・コンミューン、ロルカとスペイン人民戦線、アラゴンやサルトルとフランス五月革命、マヤコフスキーやトロツキーとロシア革命と他国を眺望せずとも、私たちには吉本隆明や谷川雁の反安保闘争や大正炭鉱闘争、石牟礼道子、渡辺京二の水俣闘争という格好の指標があるわけです。

あなたは私に超難解のハイデッガーを、すらすら読めると涼しい表情で語ったものでした。ハイデッガーを高校生から中学生でも分かるような入門書を執筆する意向があるなら、某出版社を紹介すると、言った私にあなたは、啓蒙書を書く気は全くないと一蹴したことを覚えていますか。

あなたや福島さんに嗤われるかも知れませんが、ここ数年来、『正法眼蔵』の「有事」の章を座右の銘にしております。「我は人に逢ふなり／人は人に逢ふなり／我は我に逢ふなり／出は出に逢ふなり」。深夜叢書社の出版二冊目の書籍『芸術の自己革命』の著者、桶谷秀昭氏は、「人と人の出逢いの不思議な必然ということを普段よく考える」といいます。右の箴言を氏は次のように解釈されます。「我は固有独立の生の律動で生きている。他人もまた固有独立の律動によって生きている。それが或る時、はからずも出逢い、おのおのの生の律動を共有する。その時、我は我自身に逢うのであり、人は人みずからに逢う。出逢いが出逢いに出逢うのである。それは、或る時であり、同時に在る時である。実在する時間の出現である。そう読める」と。

我逢人（我は人に逢ふなり）の時を、私はこれまで大事にしてきたことがあるだろうか。

桶本さん、無常迅速の日々に、私はそのような内省の刻もなく、あなたとの出逢いに失速したという痛恨があります。しかし幸いにもあなたは四冊の著作を深夜叢書から刊行して下さいました。出逢いの機会はこれから開始されるともいえるのではないでしょうか。四冊を並べてみます。

短篇集『迷宮行』（一九八〇年一月刊）

詩集『禍時刻』（一九八一年四月刊）

哲学書『光から時空へ』（二〇一一年一月刊）

哲学書『明けゆく次元　我、物質、真理論』（二〇一四年一月刊）

処女出版の短篇集『迷宮行』には、あなたも親炙していた『虚無への供物』の作家中井英夫氏が推薦文を寄稿してくれました。四十年ぶりに黙読しました。

綺想の宴　　中井英夫

桶本欣吾氏の作品は、一言でいうならビザールとしか評しようがない。おおむね見開き二ページにも充たぬ「鏡、黒の……」以下十二篇は、めくるめく綺想の宴に読者を誘い、紫金色に輝く鹹湖、青い微笑を残す友人、鱗粉に似た雪の日の割礼とすべて血と禁忌に彩られた食卓に導く。死の影とともに酌む杯には、いったい何色の葡萄酒がふさわしいのか、私には予想もつかぬ。野村昌哉氏の装画の中に、あるいはその秘色が匿されているというにしても……。

（作家・詩人）

『光から時空へ』には読者から感想が寄せられました。「とても興味深い哲学書。世にあらわれる哲学書が実は社会科学・詩論書に陥っているのと一線を画し、正統的な意味での哲学を物理学の知識をかりて追求している。どこか詩的な感覚を感じさせ、読んでいて美しいものに触れた気持になる。いわばギリシアの哲学が持っているある種のつややかさや美しさ、ロマンティックさを連想させる」

［二〇一六年八月八日　ブログ］

この世でたった一冊の本を選ぶとしたら、私は『明けゆく次元』を選ぶ。（略）百年後になったら彼の本が読まれることだろうと思う。今は最先端の物理学者でも読むことができない……。

なぜ桶本さんが宇宙のはじまる前や原子顕微鏡でも見えない世界を論じられるのか、それは幼いころに啓示を受けたからだ。人は知識や経験を得る前に、すでに何か己の中の神性に従って、見えないものを見ることができる。想像力が現実の世界を超えることを知っている。

［二〇一一年一月二十五日　ブログ］

「桶本氏は哲学科のご出身でいられます。そのときに伺ったのは、あるとき、このご本に書かれた哲学の体系が突然、神の啓示のように閃いて、一挙に四百枚仕上げられたとのこと。（略）そういう成り立ちのご本は、ほんと、宗教のようですものね」

桶本さん、あなたは本当に素晴らしい読者をお持ちですね。こうしたブログがどんなにあなたを慰めていたことか、私は未知の読者の方に深く感謝致します。桶本さんに代わってお礼に夭折した詩人ノヴァーリスの「断章」をお届けしておきましょう。
「見えるものは見えないものにさわっている／聞こえるものは聞こえないものにさわっている／それならば、考えられるものは、考えられないものにさわっている」

大岡信さんは「では有限なるものは／じかに無限なるものにさわっていることである」と敷衍《ふえん》されたものです。大岡さんに改めて感動した瞬間です。

詩が口を衝いたところで、深夜叢書社創立の原点となった六行の詩を私としては初公開します。ナチスに抵抗し、明日の処刑を前に、二十七歳の青年フランソワ・ヴェルネがフレーヌの牢獄に刻みつけた詩です。『抵抗の文学』加藤周一著に収録。

壁に名前を彫りつけて
ぼくはそのとき星をみた
未来の世界の子供らは
ぼくに視線を注いでいた
彼らは餓えて　寒がって
あてにするのはお前だと　ぼくにいった

（加藤周一訳）

この「あてにするのはお前だ」という声を桶本さん、あなたも耳にしたと呟いたことがあります。
深夜叢書という〈夜の出版社〉から、四冊もの著書、いえ、もう一冊が遺著として同じ深夜叢書から刊行されます。桶本さんの奥さんの和江さんや長女典子さん、長男宜孝君の協力でそれが実行されるのです。あなたは永遠という時間がたゆとう星の界から、この惑星へ視線を注いでいてください。

さようなら、そして、こんにちは

父のこと

本書を手に取っていただきありがとうございます。

本書は、父・桶本欣吾が遺した原稿を、生前からお世話になりました皆様のご尽力で形にしたものです。企画を引っ張ってくださった福島泰樹先生、断片だった原稿を編集してくださった小坂国継先生、深夜叢書社主宰で父が敬愛する俳人の齋藤愼爾さん、制作実務を引き受けてくださった高橋忠義さん、髙林昭太さんには、言葉に尽くせぬほどお世話になりました。この場を借りてお礼申し上げます。


父は昭和十八年に現在の北九州市門司区で生まれました。幼年期は祖父母に預けられていましたが、両親と暮らすために八歳で一人夜行に乗って上京してきたといいます。夜行から降りるときに、待っていてくれた親戚のおばさんが、

「欣ちゃーん、欣ちゃーん」

と呼びながらホームを走ってきたと、よく話してくれました。

そんな孤独な経験をしたからでしょうか、父は生涯、心の中に自分の大きな世界を持ち続け、それを表現したいと望み続けた人でした。

三十代に出版した『迷宮行』の耽美的な掌編小説、『禍時刻』に収められた現代詩。子供のころの記憶に残る父の姿は、会社から帰った夜中にも、書斎の万年布団の上に腹ばいになって何かを執筆していた姿です。絵心も持ち、後年は油彩に取り組んだこともありました。

ただ、いずれのジャンルもどこか自分の表現したいことにはそぐわなかったのか、また習得しなくてはならないテクニックを習得するだけの根気も時間も足りなかったのか、大成したと言えるには至りませんでした。


広告会社の電通をほぼ定年で退職し、六十代半ばから取り組み始めたのが前二作『光から時空へ』『明けゆく次元』の自称「哲学」のスタイルです。大学時代に学んだ西洋哲学の知識に量子力学などを織り交ぜ、世界を解明したいとの情熱を傾けました。年月を経て、既存のジャンルにとらわれず、直截に表現したいとの思いも強くなったのかもしれません。

本書の元になった原稿は、この「哲学」ジャンルの第三弾として『明けゆく次元』出版直後から取り組んだものです。二年前に死病となる白血病に倒れてからも、

「あの三冊目が自分が生きてきた意味だ」

と言って、最後の入院の直前、亡くなる二ヵ月前まで手を入れ続けました。

亡くなる三週間前の病室でのことでした。話すのも億劫になったなか、目を閉じたままとぎれとぎ

れに言葉を紡ぎました。

「三島由紀夫は、人間を超えた大きなものの存在に気づいていて、でも小説の形に逃げてしまった。自分もきっと同じものに気づいているから、逃げずに書きたい」

少年期から七十代半ばまで、父の心にあり続けた「世界」を少しでも感じていただければ、望外の喜びです。

二〇一九年秋

長女・桶本典子

桶本欣吾《おけもと・きんご》 略歴

一九四三年（昭和十八年）　桶本正夫・綾子の長男として北九州市門司区に生まれる
正夫は朝日新聞社で広告局などに在籍、北海道支社長を務めた後、神奈川新聞社社長、会長、名誉顧問等を務め二〇〇八年に死去した。両親多忙のため、幼年期は祖父母である桶本長治・ハルのもとで過ごした。

一九五〇年　七歳　門司小学校に入学

一九五一年　八歳　単身上京、赤羽小学校に転校

一九五六年　十二歳　私立芝学園中等部・高等部入学

一九六二年　十八歳　早稲田大学第一文学部哲学科入学

一九六六年　二十三歳　株式会社電通に入社
電通ではラジオ・テレビ企画局から始まり、主にセールスプロモーション担当としてオリンピックをはじめとするイベント事業に携わった。長野五輪がイベント関連での最後の大きな仕事となった。

一九八〇年　三十七歳　短編集『迷宮行』（深夜叢書社）刊行

一九八一年　三十八歳　詩集『禍時刻』（深夜叢書社）刊行
一九八二年　三十九歳　「早稲田文学」10月号に短編小説「金色の森」を発表
一九八八年　四十五歳　「季刊月光」創刊号（福島泰樹主宰「月光の会」発行）に小説「夜行列車」発表
二〇〇二年　五十九歳　電通を退職
二〇〇四年　六十歳　早大哲学科同級生の同人雑誌「西東」を創刊
西洋哲学・東洋哲学の同級生が同人となり、論文やインタビュー、短歌・小説などを網羅した哲学・文芸の総合雑誌として刊行した。桶本は創刊号に中編小説「芥子は金色に濡れて（前編）」を掲載。
二〇〇五年　六十一歳　「西東」2号に哲学論文「生成場論」を掲載
二〇〇六年　六十二歳　「西東」3号に哲学論文「ヘルダーリンの詩にみる生成場」を掲載
二〇一一年　六十八歳　初の哲学書『光から時空へ』（深夜叢書社）刊行
「大法輪」6月号に「光のこと」発表
二〇一四年　七十一歳　『明けゆく次元　我、物質、真理論』（深夜叢書社）刊行
二〇一八年　七十四歳　「ウェブマガジンプロメテウス」（「知のアソシェーション」を謳う情報発信サイト）に50枚の哲学論文「続・明けゆく次元」を投稿
二〇一九年　七十五歳　急性リンパ性白血病のため死去

直知の真理

二〇二〇年四月八日　初版発行

著　者　桶本欣吾

発行者　齋藤愼爾

発行所　深夜叢書社
郵便番号一三四―〇〇八七
東京都江戸川区清新町一―一―三四―六〇一
info@shinyasosho.com
印刷・製本　株式会社東京印書館

ISBN978-4-88032-458-6 C0010